●著者紹介
辰巳　渚（たつみ・なぎさ）
1965年福井県生まれ、東京都出身。お茶の水女子大学文教育学部卒業。マーケティング雑誌『月刊アクロス』記者、筑摩書房勤務を経て、フリーのマーケティングプランナーとして独立。ライフスタイルとモノの変遷から現在の暮らしを分析し、予測を立てる手法を得意としている。主に、家庭、主婦、子ども、団塊世代と団塊ジュニア世代に関心を寄せている。

宝島社新書

「捨てる！」技術
（「すてる！」ぎじゅつ）

2000年4月24日　第1刷発行
2000年6月26日　第6刷発行

著　者　辰巳　渚
発行人　蓮見清一
発行所　株式会社 宝島社
〒102-8388 東京都千代田区一番町25
電話：営業部03（3234）4621
編集部03（3234）3692
振替：00170-1-170829 ㈱宝島社

印刷・製本：中央精版印刷株式会社

ISBN 4-7966-1791-4

はじめに――モノの増殖をとどめるために

◆モノが溢れたいまの暮らし

捨てなきゃいけない――これが、現代に生きている私たちにとっての至上命題だ。

今の暮らしにはモノが溢れ、捨てても捨てても増えつづける。職場には書類が山積みだし、家庭では収納スペースがいくらあってもモノをしまいきれない。ただでさえ狭いスペースが、モノの増殖によってさらに狭くなり、なんとかしなきゃと思いつつモノに囲まれて暮らしているのが現状だ。内心、全部捨てたらどんなにすっきりするだろう、と思っている人も少なくないはずだ。

一方で、一九九〇年代をとおしてエコロジー志向が浸透し、地球にやさしい暮らしをしよう、モノをリサイクルしよう、ゴミを出さないようにしよう、という動きが定着している。また、平成不況と呼ばれた九一年に始まる不況も、すでに十年めに入った。稼ぎ手のリストラや、百貨店やスーパーの倒産・閉店が相次ぐことからもわかるように、家計は引き締められている。不要なモノを買う余裕は、それほどないはずである。

それなのに、暮らしのなかにはモノが溢れかえっている。なぜなのだろう。どうして、モノは減らないのだ。

もう少しつきつめて考えよう。捨てればすっきりするとわかっているのに、どうしてモノを溜め込むのか。モノを捨てることには、なぜ後ろめたいような気分が伴うのだろう。

◆〝もったいない〟と〝モノの増殖〟が同時に存在する

かつて、モノは貴重だった。大量生産大量消費の現代生活が始まるまで、ほんのつい最近まで、モノは使い切るまで大切にされ、そのモノの用途が終わっても別のかたちで再利用したりして、それから処分された。食品も、米粒ひとつまで残さずに食べるようにしつけられた。モノを使い切ってから捨てて、それから新しいモノを手に入れる循環がなされていた。だからこそ、〝もったいない〟が美徳だった。

しかし、今は違う。

高度経済成長期には新しい電化製品が次々に現れ、〝新しい〟という理由でモノが買われていった。新しいモノ＝いいモノだったから、古いモノは惜しみなく廃棄されていった。新しい便利さ、新しい機能、新しい流行を採り入れるために、モノが次々に暮らしに入ってきた。そのうち、バブル期の「ほしいものが、ほしい。」（西武百貨店）というコピーに表されるように、必要なモノでは満たされていてもモノを買うことそのもの、つまり消費そのものが求められるようになった。

そうして、消費に慣らされた私たちは、今に至ってもモノの呪縛から逃れられなくなっている。必要だから欲しいのではなく、買うためにモノが欲しい、という消費のしかたが定着しているといえる。その結果、モノの消耗のスピードをはるかに超えてモノが増殖し、私たちの暮らしはモノで溢れるようになってしまった。

どうも、モノが貴重な時代からモノが溢れる時代までの変化があまりに急すぎたらしい。私たちは〝もったいない〟という美徳の名残りと、モノの増殖という新しい事態のあいだで、困り果てている状態なのだ。

◆〝捨てる〟ことを肯定する

そのジレンマからなんとかして逃れなければならない。このままでは、いつまでたってもモノの呪縛から解き放たれない。

エコロジーや節約生活が注目されているように、モノを大切にして不要なものは買わないことが、この呪縛から逃れる方法なのだろうか。いや、買うこと＝モノを増やすことをやめてしまうのは、あまりにさみしい。入ってくるモノをなくせばモノはいずれ減り、すっきりしてくることはあきらかだ。でも、よほどストイックな人でもないかぎり、それで楽しく暮らせるとは思えない。少なくとも、筆者は嫌だ。

好きなモノを持つのは楽しいし、新しい服を着ればうれしくなる。テレビや新聞があっても、週刊誌も読みたい。情報誌もチェックしたい。目の前にあるどうしても欲しい食器を買わないことで、なにかいいことがあるとは思いたくない。家計が楽になっても、暮らしが楽しくないのは困る。

自分に合った楽しく豊かな暮らしをしつつ、〝もったいない〟からもモノの増殖からも逃れられる、新しい暮らし方はないものだろうか。どうしたら見つかるのだろうか。

それを考えるために、この本では〝捨てる〟ことを肯定しようと提案している。モノが溢れる暮らしを見直すために、まず捨てはじめるのだ。〝もったいない〟で済ませていないで、〝捨てる〟作業によってモノの価値を検討する。持っている理由を考えることで、

〝もったいない〟以外にも、モノにとらわれていた理由がはっきりしてくるはずだ。また、増えるにまかせていたモノを、〝捨てる〟ことで選別していくと、どんなモノがあればいいのかがわかってくるだろう。それは暮らしそのものを管理していく作業なのである。

◆暮らしの技術としての〝捨てるための技術〟

〝捨て〟はじめるためには、まず、今までのモノの持ち方をあらためてほしい。そのために、第1章では捨てるための考え方を10か条にわたって紹介している。

今までの考え方をまったく変えてしまえといっているのではない。なにか思い込みがあったり、心配なことがあって捨てられないならば、考え方の方向転換をしてほしいのである。ちょっと考え方を変えるだけで、モノにとらわれなくなるかもしれない。共感する考え方の必要な部分だけ、あなたの暮らしに採り入れてほしい。

第2章では、具体的な技術をやはり10か条にわたって紹介しておいた。考え方篇と同様に、採り入れやすい技術を自分なりにアレンジしてやってみてほしい。習慣になる技術がひとつでもあると、あなたの暮らしはかくだんにすっきりしはじめるだろう。第3章では、モノが少しでも捨てやすくなるような情報を載せておいた。併せて利用していただけると幸いだ。

とはいえ、20か条もこまごまと説明するまでもなく、ほんとうは〝捨てるための技術〟は単純明快なのである。つまり、いままで無意識でやっていたことを意識化し、モノの持ち方を暮らしの技術として定着させる。それが、本書のいいたい唯一のことである。

目次

第2章　さあ捨てよう！　テクニック10か条

本文イラストレーション＝工藤六助　校正＝飯田梨花

序章

〝捨てられない〟のは何？　そしてなぜ？

◆なぜ捨ててはいけないの？

そもそも、なぜ「捨てなきゃいけない」というメッセージを書かねば、と思ったのか。それは、暮れの出来事に端を発する。

筆者には、ときどき会って情報交換する出版界の仲間がいる。その仲間が暮れに集まったときに、一人の話をきっかけに話題沸騰となったのだ。それは、「大掃除の時期だけど、私は仕事で関わった本や雑誌の収納に困っている。資料としてとってあるが、棚がいっぱいになってしまって」という話だった。

この話に思い当たった面々から、「僕も困っている」「私は集めた資料の整理に困っている」などといった話が次々飛び出してきた。「段ボールに入れてしまっておく」「自分の書いた記事だけ切り抜いてファイルしておく」「レンタル倉庫を借りる」といった解決法の意見も出て、誰もがどうすべきか悩んでいることもわかってきた。半分笑い話のような話題であったが、いっしょに話に加わりながら、これだけみんなが困っているのに「どうして捨てちゃいけないのかな？」とふとひっかかるものを感じたのである。

解決策として出てきた意見は、すべてしまい方だった。ファイルして量を減らすことは思いついても、それらの困ったモノを〝捨てれば？〟という意見は出てこなかった。

◆モノの肥満状態

そのことをきっかけに筆者は、これは仲間うちだけ仕事関連のモノだけのことではなく、今の日本の社会全体にいえる現象なのではないかと考えるようになった。日本が経済成長をつづける過程で、大量生産大量消費のシステムに慣らされ、モノを買い、集めることには誰もが長けてきた。モノを選ぶ目も磨いてきた。自分が何を欲しいのかきっちり考える姿勢も、身につけてきた。

そしてモノあまりの現在に至って、なにかがずれはじめているらしい。

話を食糧にあてはめて考えてみよう。人間の身体は、飢餓状態を基本に作られているという。本来、動物は常に食糧を探してうろうろしているものだ。草食動物は栄養効率の悪い植物を常に食べつづけ、肉食動物は逃げようとする餌を狙って走りまわる。いったん、餌の動物を捕まえて腹いっぱいに食べると、次に飢えてくるまで寝ころんでいる。

自然のなかでは飢餓が当たり前。だから、動物の身体は飢餓に対応する仕組みがきちんとできているし、まず、「お腹が空いた」という信号を、「グー」という音や胃の痛みで、ちゃんと発するようにできている。

それなのに、人間だけがありあまる食糧を手に入れた。ありあまる食糧に囲まれているのに、自ら食事や栄養を管理して節制しなければならなくなった。飢餓には対応できる身体も、過食状態にはなんの信号も発しないからだ。満腹なのに、おいしいものが出てくるとまだ食べたい、目で見ておいしそうならまた食べる、時間がきたから食事する、と、きりがない。

現在のモノあまりの状況は、この、食糧に囲まれて際限なく食べたくなる状態といえないか。いくら栄養があっても、おいしくても、人間の身体が必要かつ受け入れられる量を超えてはいけないように、いくらいいもの、便利なもの、価値のありそうなものがたくさんあっても、身のまわりに増やしすぎてはいけないのだ。増えすぎたとき、不都合だという信号を人間の感覚は発することはできないのだ。

ちょっと引いて眺めてみると、じつに不自然な状態、不合理な状態だとはいえないだろうか。

◆モノを持つことは人間の本性

そもそも、モノを持ちたいという欲求はなぜ起きるのだろう。

食糧については簡単だ。食欲、性欲、睡眠欲、と言われるように、これらの行為からは個体としての根源的な幸福感や充実感が得られる。一方、モノの所有欲には自分の存在がかかってくるように思う。

モノは単なる物体ではなくて、所有したときから自分の一部分になるのではないか。だから、この消費社会の論理――欲しいものを持つことで自己実現できるという感覚が成り立つ。逆にいったん手に入れたモノを失うと、実現された自己の一部を失うような痛みを覚える。たとえば、ようやく自我らしきものが芽生えてきた幼児は、自分のオモチャを独占したがり他の子どもには触らせようとしない。物心ついてきて、はじめて「お友達といっしょに遊ぶ」「弟に貸してあげる」ことができるようになる。

この感覚は、大人になると理性に隠されるだけで感情としてはずっとついてまわるのではないか。私たちはこの感覚に従って、手に入れたモノはしまいこんだり、あるモノを捨てる代わりにもっといいモノを買ったりする。それが自然な行動だろう。

その一方で、現在のモノあまり状況はあまりに不自然だとは、誰もが内心感じているらしい。環境問題や節約生活への関心は、その表れだ。無駄をなくし必要最小限の消費をしながら、地球にもやさしく、家計にもやさしい暮らしをするのは、たしかにいいことだ。

しかし、このような方向転換には、どこか無理を感じる。

モノを持つこと、持ちたいと思う気持ちを否定せず、モノを持つこと自体は人間の本性に関わることで、変えようも変わりようもないと思った方がよいのではないか。変えなければならないのは、無自覚にモノを持ちつづけることではないだろうか。

◆〝捨てる〟という発想

無自覚にモノを持ちしまい込むのをやめ、モノをいかに持つかを考えなければならない。そのために一度発想を大きく転換して、まず〝捨てる〟という発想を採り入れそのための技術を身につけよう。

捨てるという作業は、ただポイポイとものをゴミにしていく作業ではない。だからこそ、冒頭のエピソードのような悩みも生まれる。しかし、悩みながらモノを選別していくことで、自分にとってどれだけのモノと暮らせば充分なのかがわかってくるはずだ。そして、いったんモノを〝捨て〟たあとにはじめて、環境を考えたリサイクル生活や必要最小限のモノだけを買う節約生活が、モノを管理する方法として役に立ちはじめるだろう。

ここまで読んで、あなたが「では捨てようか」と納得しても、モノで溢れた家のどこか

やあ いらっしゃい
うちも捨てるに目覚めたのよ
なにやってんの？
こんにちは

ら手をつければいいのか、溜めつづけたモノをどう捨てればいいのか、お手上げ状態になってあきらめるのがいいところだろう。

だから、まず、あきらめないために、筆者自身の経験を少しお話ししたい。それから、アンケートをもとに一般的な事例を参考にしつつ、次章から、具体的な「捨てるための考え方・技術」を解説していこうと思う。

◆引っ越しで〝捨てる〟発想に気づく

筆者が〝捨てる〟ことに目覚めたのは、引っ越しがきっかけだった。ずっと親元で暮らし、六畳三畳のトイレ付き風呂なしアパートで独立したのが二十六歳。その後、二DKのマンション、二LDKの戸建て住宅と三年間に三回の引っ越しを経験したあと、結婚してまた引っ越し。結婚当時は三Kの戸建て住宅と仕事用のアパートとの二軒を借りていたが、その後、戸建て住宅を購入――というわけで、都合八年間に五回の引っ越しを経験した。

最初の独立時、狭いアパートに引っ越すにあたって、必要最小限のものだけを持って出ていこうと準備するときに、最初の目覚めがあったように思う。

乏しい資金で二トンの引っ越しトラックを借り、必要に迫られて、「これは持っていく」

「これは置いていく」と選別していくと、意外や、あれほど大事だった本も思い出の品も家具でさえ、持っていく必要がないのである。

すっきりと必要なものだけが置かれたアパートとは裏腹に、筆者の出ていった親の家はあまりモノが減ったようにも見えなかった。結局、そのときやったことは、捨てられるものをとりあえず親元に置いていく作業だったのである。

その後ももちろん、引っ越しを繰りかえすたびにモノは増えていく。しかし、〝捨てる〟ことに目覚めているのだから、持ち物はそうたいした量ではなかった。

◆結婚で〝捨てる〟快感を知る

ところが、結婚で、また再び新たな〝捨てる〟試練を受けることになる。結婚相手は、三Kの戸建てに十年近く住んでいたのだが、大正時代に建った家だけあってなにもかもがたっぷりしている。収納スペースも充分、目につきにくい「隅っこ」も充分にある家だったのだ。

当然、モノは溜まっていた。いつか使うかもしれない照明器具や植木鉢、とりあえず置いてある花瓶やたんす、そのたんすにしまってある袋類や食器類。

もちろん、ゴミではない。すべてなにかの役に立つものだ。けれども、そこにもう一人、同居人が増えることで必然的にスペースは狭くなり、モノはじゃまになってくる。しかも、この同居人は〝捨てる〟ことに目覚めた者ときている。

当然、筆者は捨てはじめた。「捨てよう」という目で見ると、どれもこれも捨てられるのに驚く。他人の溜めたものだから、思い切りよく捨てられる。しかし、相手は考え方が違う。「これは必要だ」「これはだめだ」「本だけはやめてくれ」などと抵抗する。それを説得するために、いかに捨てる必要があるか、モノはたしかにもったいないけれどスペースを確保する方がいかに大切かを説くことになった。

その葛藤のあげく、しまいには相手もどんどんすっきりしていく家がうれしくなってきて、なにも文句を言わなくなった。あちらがうれしいと、こちらもますますうれしくなる。

この試練から得たものは、〝捨てる〟発想の一般化、とでもいえばいいだろうか。いや、モノで溢れた場所がすっきりとしていく快感そのものだ。このとき、「用の美」だとか、「機能的なものは美しい」だとか、「桂離宮」だとか、そんな言葉が頭をちらちらかすめていたように思う。

こうして、我が家は人もうらやむ快適な住まいとなる。捨ててしまって「しまった！」

さっぱりしたわねェ
あれ？ダンナは？
・・・やっぱり人生もシンプルがいちばんよね
フフッ

というモノも一つや二つ、あったかもしれないが、もう覚えてもいない。

それでも、現在の住まいに引っ越すときに、粗大ゴミの山ができたのだから、ただただ人間というものは呆れるしかない。引っ越しが済んだがらんとした空き家に何度も通ってゴミ出しをつづけた日々、溜まったモノの山を見ながら、これだけのいらないモノといっしょに暮らしていたのか、とうんざりしたのである。

〝捨てる〟主義の我が家でさえ、いつか使うだろう、置いておいた方がいいだろう、と思って結局そのままゴミとなったモノは、山になるのだ。あなたの住まいは、どうだろうか。

◆〝焼け跡派〟の母親との葛藤

もうひとつ、筆者の〝捨てる〟主義に影響を与えた母親のことについて書いておこう。

母はいわゆる〝焼け跡派〟世代。学校を出てそのまま結婚し、別棟で納屋のある広い戸建て住宅に十五年間住んだあと、マンションに引っ越し、そこで二十年間暮らしている。引っ越しを繰りかえし、〝捨てる〟ことに目覚めた筆者にとって、実家はモノが占領した空間だった。しかも、子ども二人が結婚して家を出たあとでも、モノの量に変わりはないどころか、どうも増えているようにみえるのだ。

一例として食器棚のことを書こう。食器棚には、新婚当時に買った洋食器のセットの名残が何枚、揃いの茶碗の片割れ、引き出物でもらった小鉢、商店街でもらったコップ、かとおもえば、筆者がプレゼントした塗りの椀などがぎっしり入っている。一人で暮らしているのに、我が家の三倍は食器がある。

「少し捨てれば?」と言う言葉に対し、「捨てなきゃねえ」と答えつつ、結局何も捨てられていない。「代わりに捨ててあげようか」という言葉に対しては「自分で捨てるからいいわよ」と答える。

しかし、「捨てれば?」と言いつつ、捨てられない気持ちはわかる。一番モノのない戦後に幼い時期を過ごし、家電をはじめ新しいモノが次々登場してきた時期に新婚生活を送った母たちの世代にとって、モノは大切なもの。使えるモノを捨てるなんて、罪悪感なしにはできないことだろう。

他人の目から見れば、もうとっくにゴミにしてもよさそうな古いタオルも小さく欠けた茶碗も、まだ立派に使えるのだ。その感覚は、たしかに美徳だろう。だが、この美徳は残念ながら現代では通用しにくい。モノの耐用年数以上に、次のモノが増えていくからだ。

筆者は今でも「捨てれば?」と提案することはあきらめていない。母親も、「捨てなきゃねえ」と答えつづけている。実際、使わない食器で溢れた食器棚やモノ置きと化したかつての子ども部屋を見るにつけ、捨てる必要があるとは思っているらしい。

この本では、母のような美徳を持った世代に向けてもメッセージを送りたいと思っている。かつての美徳を切り替えて、まず、捨てなきゃいけない。そして、新しい美徳を創り出さなければならない。

◆それでは現在の仕事部屋はというと

さて、それなら、筆者の現在の暮らしは、厳選されたモノだけが置かれた、さぞすっきりと機能的な暮らしだと思われるだろう。

ところが、である。かくも捨てつづけているのに、それでもモノは溜まるのだ。住まい全体に関しては、たぶん一般的な家庭よりもモノは少ないはずだ。それなのに、いつのまにか、わずかな隙間に、モノは増殖している。

たとえば、現在原稿を書いている仕事部屋を見てみよう。

机のまわり‥筆立て—筆記具がたくさんありすぎて、書けなくなったペンやインクの出ない万年筆が何年も刺さったままだし、デザインがかわいいだけで使いもしないペーパーナイフが主のように居座っている。しかも、もらいもののミッフィーちゃんが、もう何か月もぶらさげてある。

フロッピーディスクの山―データのやり取りはメールで済ませているし、大容量のデータはMOを使うのでフロッピーはまったく使わない。フロッピーの山の中に、何が保存してあるのか、整理の悪さゆえにラベルにはなにも書いていない。

机の引き出し‥引っ越しのたびにきっちり入れなおしてきたが、古い手帳や何組もの定規類、過去の書類がぎっしり入っていて、引き出しとしての用をなしていない。開けるのは月に一回あるかないか。

椅子の下‥もらった竹踏みがころがっていて、じゃまでしかたがない。

床の上‥書類の山―ファクスやコピーの山と雑誌の山が渾然一体となっている。一番下は先月の仕事の残骸だと思われる。

本の山―本棚にしまうほどでもない読み捨てのつもりの本と、図書館から借りた本がいっしょに積んである。本棚の脇には、引っ越し以来二年間、手がつけられていない夫の本の山がはりついている。ときどき蹴つまずいてそれが崩れ落ちるがまた積みなおす。

壁‥洋服だんすに入りきらない薄手のコートが秋からかけたまま。

押入れ‥下段は文庫本と掃除機がきちんと収納されているが、上段は普段まったく袖を通さない普段着と普段まったく使わない普段使いのバッグが詰まっている。

——これ以上書いていくと嫌になるからやめよう。かくのごとし、である。

これでも、捨てているのだ。捨てているのに、増えるのだ。それでも、あきらめるともっとひどい状況になるのが怖くて、燃えるゴミの日にはゴミ袋ひとつ分はゆうに捨てているのである。

◆「捨てられないもの」アンケート

個人的経験はこのくらいにして、以下に、一般的にどんなものが捨てられないでいるのかを具体的に見てみよう。

そのために行ったのは、名づけて「捨てられないもの」アンケート。日常生活で収納や片づけに困っている物や捨てられない物などを訊いてみた。アンケートを実施するにあたっては、専門の機関に頼らず宝島社編集部や筆者周辺のネットワークを使ったので、都市部のホワイトカラー中心のサンプルになっている。しかし、生活スタイル、所得、職業など、他のバイアスはかけていない。

Q1. 収納に困っている物,片づかない物,なんとかしなければと気にかかっている物はあるか

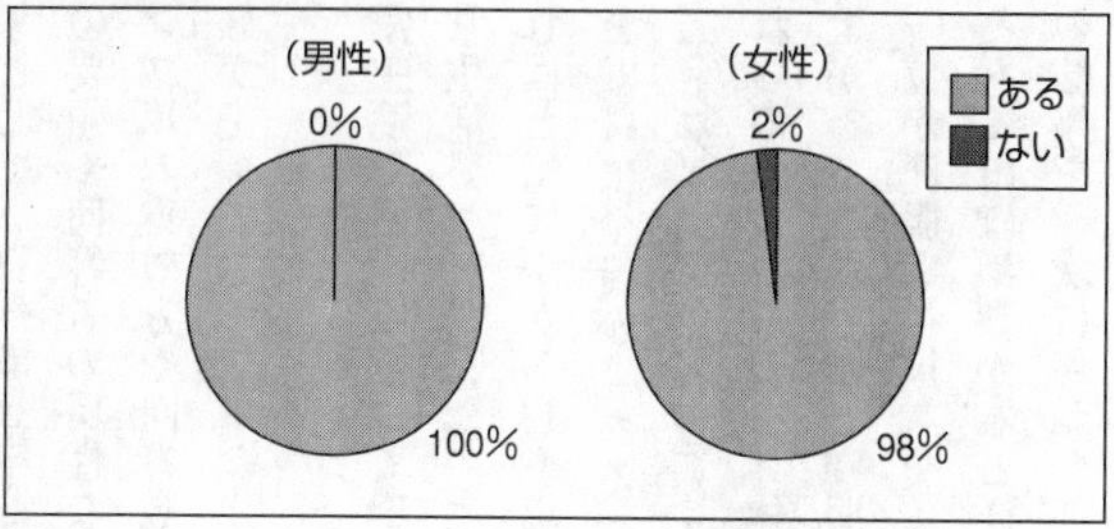

SQ1. 具体例

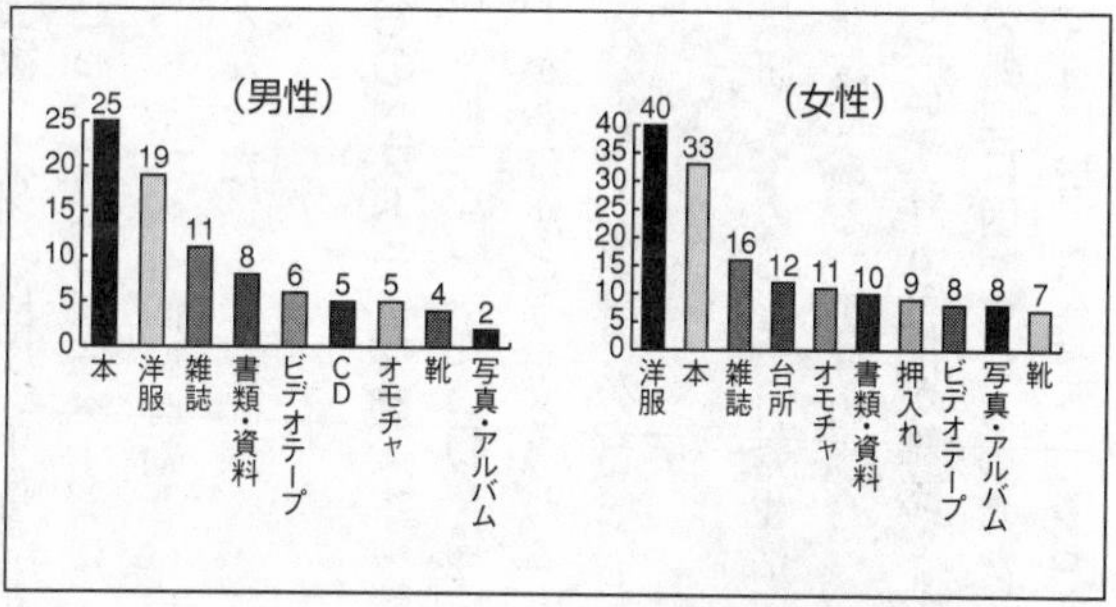

SQ1. そのような物をどうしたらいいと思うか（複数回答・2つまで）

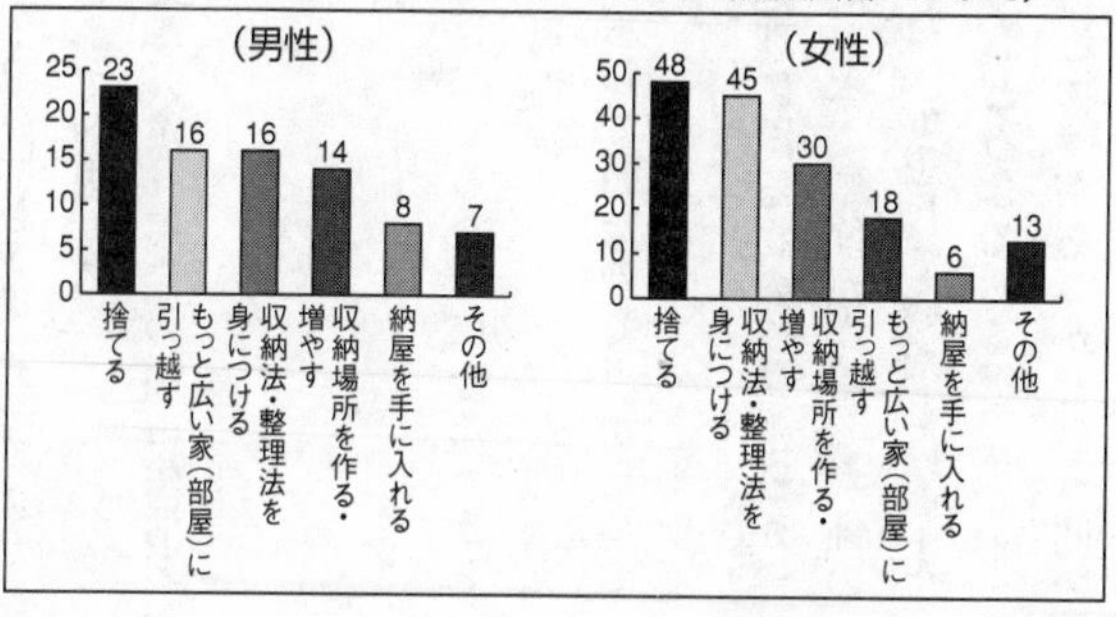

結果として、首都圏を中心に大阪、九州、四国、中部、北陸からも回答が集まってきた。実施の要領や回答者の属性などについては、三三ページにまとめて別掲する。サンプルの集め方や回答数からいって統計的に有効とはいえないが、現代の都市生活者の実態が把握できるアンケートとなった。

◆日常生活で処理に困っているものベスト三は洋服、本、雑誌

日常生活で、「収納に困っている物、片づかない物や場所、目にするたびになんとかしなければと気にかかる物や場所」があるかどうかと尋ねると、男性は一〇〇%、女性は九八%と、ほぼ全員が「ある」と答えた。あるのが当然だと予想していたので、かえって「ない」と答えた人が気になるくらいだ。

それらの困ったものを具体的に訊いてみると、日常生活で処理に困る物のベスト三が浮かび上がってきた。本、洋服、雑誌である。男性の場合、一位が本、二位が洋服、女性の場合一位が洋服、二位が本、そしていずれも三位が雑誌であった。予想していたとはいえ、男女ともにほぼ半数が本と洋服の処理に困っているのだから、おどろきである。

この結果を、次に尋ねた「捨てるに捨てられなくて困っている物」があるかという問い

Q2. 捨てるに捨てられない物はあるか

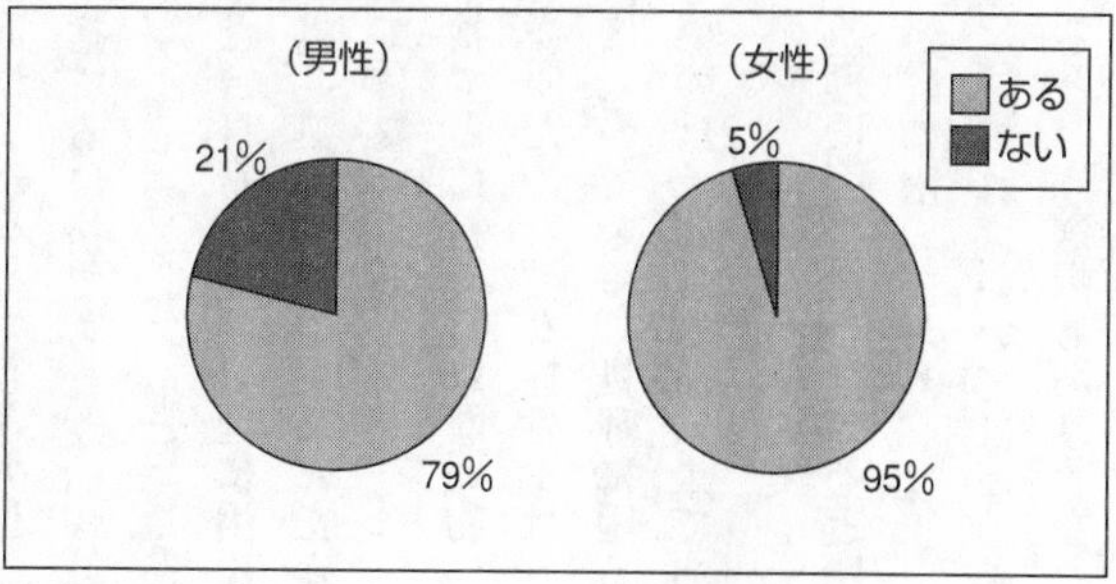

SQ. 具体例

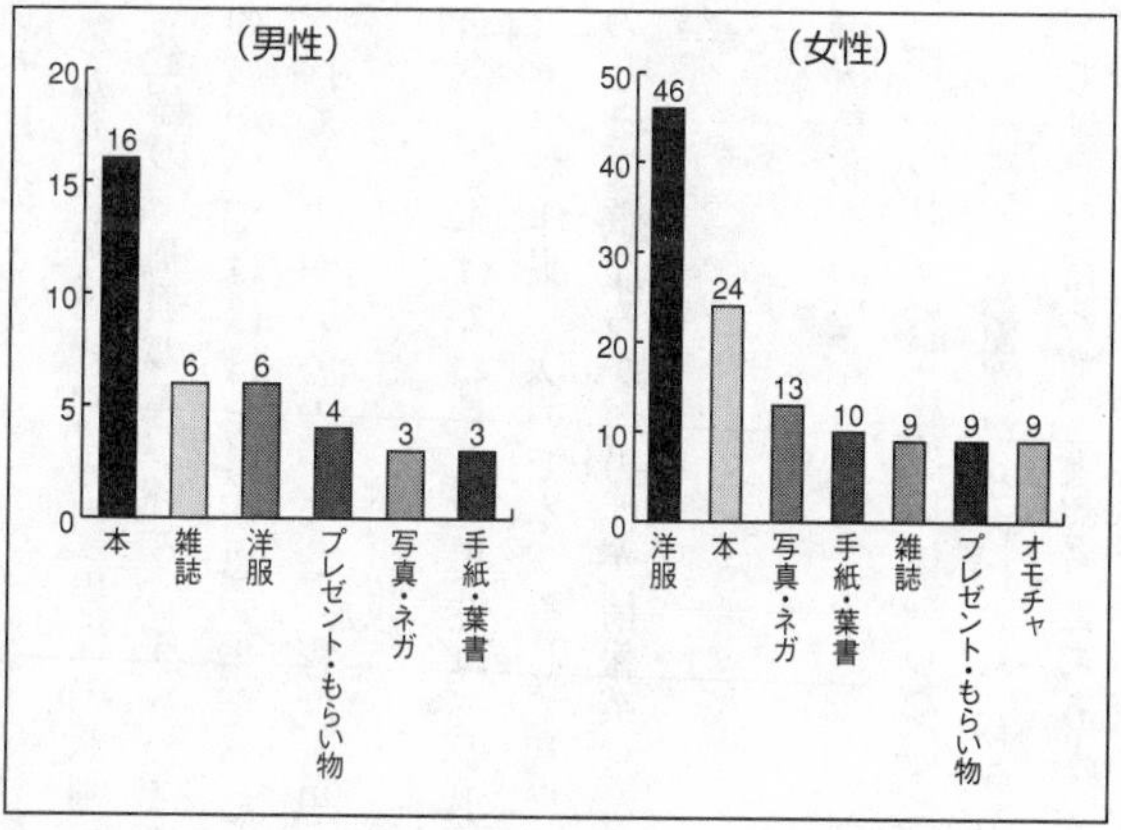

と重ねてみると、もう少し、心理が見えてくる。

捨てるに捨てられない物があるかどうかについては、男性の八割、女性の九・五割が「ある」と答えた。逆に言えば、全体の一割強の人がそういうものは思い当たらなかったのだ。日常生活で処理に困るものについてはほぼ全員が思い当たったことからして、つまりは「処理に困ってるんだから、捨てた方がいいのかなあ」程度も思い至らないということではないだろうか。

捨てるに捨てられない物のベスト三を挙げておくと、男性はダントツで本、次いで雑誌と洋服だった。女性はやはりダントツで洋服、次いで本、そして写真(ネガを含む)が三位に入っている。処理に困るものとほぼ重なるが、男性が情報系、女性が洋服を捨てられないのは予想できた結果であった。

◆処理に困ったら捨てるという選択もあるのだ

処理に困っており、「捨てるに捨てられない」程度にはいらないと思っているのであれば、捨てればいいではないか。この言い方を極端だと感じるだろうか。「処理に困る＝捨てるという選択もあり」なんて、ちょっと待って、と思うだろうか。

Q3. うっかりすると溜まるので意識して捨てている物があるか

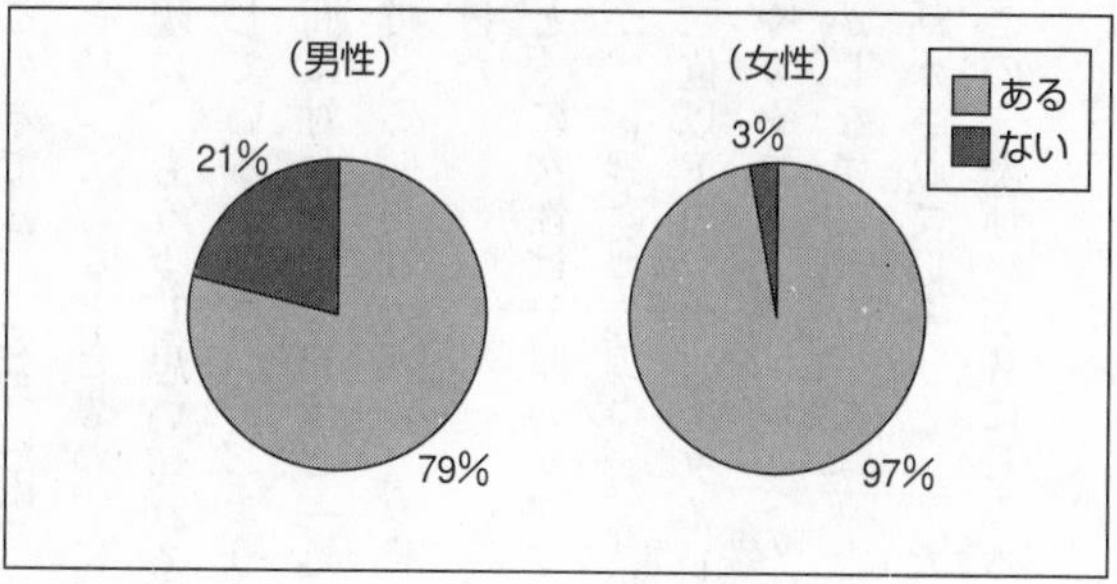

SQ.具体例

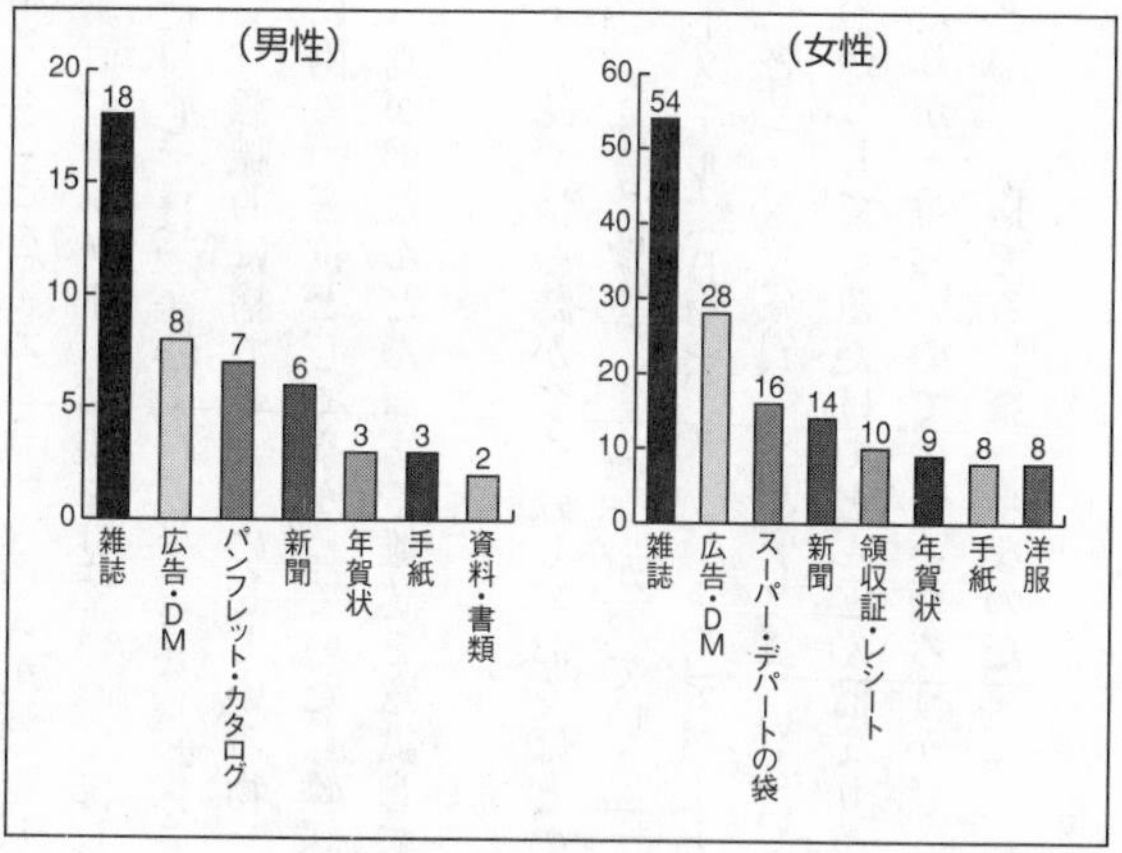

実施時期：2000年２月
　　　　　アンケート用紙をファクスまたはEメールで送付
回答総数：135人
男 女 比：男性47人，女性88人
年　　代：20代34人，30代38人，40代39人，50代24人

この本では、「処理に困る＝捨てることを考えよう」という提案をしているのだ。ちょっと待って、などと思わずに、素直にアンケート結果を見ていってほしい。

現に、もう少し思い切れる物に対しては、誰でもこのような選択をしている。「うっかりしていると溜まってしまうので、意識的に捨てるようにしている物」はあるか、という質問に対しては、先ほど「処理に困る」三位として挙がっていた〝雑誌〟が、一位に登場してくる。男性の四割、女性の六割が、どんどん溜まる雑誌を意識して捨てているというわけだ。

とくに女性は分厚いファッション誌や情報誌が多く残しておくほどのデータ性もないためか、「捨てるに捨てられない物」では五位にランクが下がっている。

二位以下の、広告やダイレクトメール（ＤＭ）、スーパーやデパートの袋、パンフレットやカタログ、新聞は、そのとき限りでいらない、と判断しやすいという点もあるだろう。しかしなによりも、ちょっとうっかりしているだけでどんどん溜まりつづける恐怖の経験が活かされている、といったあたりが一番強いのではないだろうか。

この〝恐怖〟が身にしみることが、〝捨てる〟第一歩なのだ。

◆こんな物で困っている

一足飛びにアンケート結果を見てきたが、ちょっとあと戻りして、それぞれの質問で挙がってきた具体例を詳しく検討してみよう。

何が挙がってきたかを見るだけでも、思い当たるモノや意外なモノがあって参考になるだろうから、三七ページにアンケートの回答をすべて掲載しておいた。

すでに書いたように、処理に困るもの、捨てるに捨てられなくて困っているもののベスト三は、本、雑誌、洋服である。他にも典型的なモノが数多く挙がっているが、全体を眺めてみるとなんとなくパターンがあることに気づく。

①本、雑誌を代表とする資料・情報性の高いモノ。これには会社の資料・書類や、パンフレット・カタログも含まれてくる。捨ててしまうことで、あとで困るのでは、いつか必要になるのでは、と思って捨てられないが、際限なく増えるし使いこなすには検索できなければならないので、しまい方にも苦労するモノだ。

②洋服を代表とする身につけるモノ。靴、バッグもそうだ。身につけることから愛着も出るし、ゆるやかに古くなっていくので消費期限がないも同然なのだ。これらが困る原因には、収納スペースに限りがあることも関係してくる。洋服だんすから溢れてきて、はじめ

て困るものだといえよう。

③ビデオやCDなど娯楽に関するモノ。観たい映画・聴きたい音楽はすぐに観たい・聴きたいから捨てるに捨てられない。でも、すぐ出せるようにきちんとしまうのは難しい。そういう点では①の心理に近いモノだろう。

④記念や思い出など、特別な感情がくっついてくるモノ。これがじつは多いのだ。写真、アルバム、プレゼント、年賀状といったわかりやすいものだけではない。母親手作りの洋服、子どもが使わなくなったオモチャ、新婚当時に買ったテレビなどなど。学生時代の参考書なども、資料性以上に、勉強していた当時を懐かしむ気持ちが捨てさせないのである。

⑤もったいない、と思ってしまうモノ。食料品がその代表。食品は粗末にしてはいけないもの、という感覚が、もったいないと感じさせる。高価さゆえに「もったいない」と感じさせる例としては、和服やブランドの靴などがある。大切にしないといけない、という感覚も「もったいない」に近い。本やプレゼントなどもここに含まれてくるだろう。

◆〝捨てる〟に隠された心理

そのような困ったモノについてどうしたらいいと思うか、選択肢を用意して訊いたとこ

暮らしのなかの困ったモノ

●Q1.収納に困っている物，片づかない物や場所，目にするたびになんとかしなければと気にかかる物や場所（順番は回答数とは関係ありません）

メディア・情報機器関連：本　雑誌　新聞　広告・チラシ　ステレオ　CD　レコード　ビデオテープ（ディスク）カセットテープ　コピー用紙　インクリボン　パソコン付属品

生活関連(モノ)：洋服　ふとん　靴　食器　扇風機　商品が入っていた箱　粗品のタオル　化粧品（化粧小物）洗剤　紙袋・包装紙　洗濯のピンチ　花瓶　家計簿　掃除機　印鑑　自転車　椅子　もらいもの(お土産，プレゼント，お中元など)　布　アクセサリー　説明書　雑貨・小物　ホットプレート　バッグ　領収証・レシート　給与明細　鍋　パンフレット・カタログ

生活関連(場所)：クローゼット・洋服だんす　押入れ　家具の上（冷蔵庫やたんすなどの上）納戸・倉庫・物置　食卓　ベランダ　冷蔵庫　台所　ベッドの上・下　部屋のなか　床の上　玄関　子ども部屋　洗面所　ゴミ置き場

食品関連：乾物類・保存食（瓶詰など）糠床　野菜

仕事関連：書類・資料　机の上　切り抜き・クリッピング　絵（画家）デジタルデータ（資料）メモ

記念もの：写真（ネガも）・アルバム　ひな人形の箱　着なくなった子ども服　賞状　オモチャ　引き出物　昔の教科書　子どもの作品（学校の工作など）人形（ひな人形，五月人形を含む）

趣味関連：スポーツ用品（スキー板，スノーボード，バイク用品など）趣味の道具（釣り道具，山歩き道具など）スーツケース　ゲームのCD-ROM　ピアノ　手芸用品

その他：勉強机についていた本棚

●Q2.捨てるに捨てられなくて困っている物（Q1で挙がったもの以外）

靴下　水着　段ボール・空き箱　学生時代の参考書・教科書　テレビ　ベッド　ポケットティッシュ　保証書　茶だんす　家具　過去　女房　ぬいぐるみ　フロッピーディスク　ベビーベッド　携帯電話　時計　パソコン　年賀状　帽子　財布　お札・お守り　取扱説明書　百科事典　英会話の教材　額縁　植木鉢　仏壇　家電（ジューサーミキサー）家族の遺品　バーベキュースタンド　傘　和服　タッパー　食品

●Q3.うっかりしていると溜まるので意識的に捨てるようにしている物（Q1，Q2で挙がったもの以外で，いかにもありそうなモノ）

洋服のスペアボタン　使わないカレンダー　Eメール　弁当についている輪ゴム　映画のチラシ　旅先で入手したカタログなど　料理のパンフレット　ヨーグルトについてくる砂糖

ろ、「捨てる」が男女ともに一位となった。

アンケートの性格上、誘導された感はあるが、捨てられるものなら捨てた方がさっぱりする、とは思っているらしい。おもしろいのは、女性に「収納法・整理法を身につける」ことで解決すると考えている人が多いことだ。二位で約半数がそう考えている。整理整頓しなさい、という〝しつけ〟が、女性には浸透しているということか。

一方、男性は「広い家・部屋に引っ越す」と解決すると考える人が多い。「もっと広けりゃなあ」というため息が聞こえてきそうだ。広ければすっきりすると考えるのは、ちょっと甘いというものだが、ま、気持ちはわかる。女性は収納場所を増やすことは考えても、家自体が広くなると解決するとは考えていないらしいから、このへんも男女の違いだろう。

アンケートでは、〝捨てる〟という言葉から連想することを自由に想起してもらっており、そこにも微妙な心理が覗いている。

ひとつには、「すっきり」「思い切りのよさ」「さっぱり」「新しい出発」「すがすがしさ」「身軽」「引っ越し」「ミニマリスト」「シンプルライフ」といった言葉群。解決法として「捨てる」を選んだ人は、このへんの心理が働いていたはずだ。

「いつか必要になるかもしれない」「後悔するかもしれない」「整理」といった言葉を想起

する人は、収納法・整理法を考えるだろうし、その不安がさらに発展すると「思い出」「執着」「さよなら」「別れ」「女」「男」「過去」「なくなる」「恋人や親や子を捨てるというネガティブなイメージ」「消える」というイメージになってくるのだろう。「姥捨て」という土着的なイメージを抱いた人も複数いたのが意外というか、根深いものがある。

〝捨てる〟から連想する当たり前の言葉「ゴミ」「ゴミ袋」「夢の島」といった言葉も数多く出ていた一方で、エコロジー的な発想をする人がかなりいたのは当然だろう。「もったいない」「ダイオキシン」「リサイクル」「フリーマーケット」「廃棄物処分場」「地球を汚す」「だれか拾ってくれないかな」などである。

◆勇気を出して、さあ捨てよう

以上のアンケート結果を通して、〝捨てる〟という一見単純な作業が、じつは複雑な心理を秘めていることに気づいていただけただろうか。

最後に触れた、〝捨てる〟から想起する言葉にしても、一人の人が複数の言葉を挙げていることが多い。しかも、これらの言葉の出方を見てみると、ある特定の視点で言葉を挙げているというよりは、「もったいない」と同時に「すっきり」「思い切り」を挙げていたり、「リサイクル」と同時に「過去」「身軽」を挙げていたりと、同時に複数の角度から〝捨てる〟という言葉を眺めているようだ。それだけ、〝捨てる〟作業は複雑な心理を秘めているのである。

この複雑な心理に向きあって葛藤するよりは、溜めこむ方がはっきりいってラクチンなのだ。筆者は、モノを溜めこんで安心している人を〝袋ねずみ〟と呼んでいる。どこかの木のウロで自分の集めた葉っぱやら木の実やらの間で丸まって安心している袋ねずみにならないように、さあ、勇気を出して捨てはじめよう。

第1章

これであなたも捨てられる
捨てるための考え方10か条

第1条

〝とりあえずとっておく〟は禁句

モノを溜めこみがちな人の決まり文句は〝とりあえずとっておく〟だ。宴会の「とりあえずビール」じゃあるまいし、判断を先延ばしにしても、なにも事態は変わらない。

◆陥りやすいモノ

書類・資料、雑誌、広告・DM、フロッピーなど情報・資料系のモノから、食品、洋服、いただきもの、家具・家電まで、あらゆるモノに対して起きる現象。

◆こんな場面で起きる

〝とりあえずとっておく〟逃げ道はあまりに有効なので、あらゆる場面でこう考えてしまうことが多いはず。とはいっても、この言葉を考えるシーンはいくつかに収束する。以下に、想定できるシーンを挙げてみよう。

シーン1：朝起きて新聞を読みながら。

毎日大量に入ってくる折り込みチラシ。よく目を通せばなにかお得な情報が載っていそう。お、ヤスイ電機のチラシだぜ。俺、新しいパソコンが欲しいんだよな。こっちはタカイデパートのセールのお知らせか。そういえば、春もののシャツも数が足りないし。朝は忙しいから、夜のんびりしているときにゆっくりチェックしよう。妻はヒマだから、午前中に全部見てしまうんだよね。捨てるなよ。「これ、俺が見るまで〝とりあえずとっといて〟」

シーン2：買い物から帰ってきて、冷蔵庫に食料品をしまおうとして。

まったく、何が入っているのかしら。買ってきたものが入りゃしない。どうせ夕方には使うんだから、手前に置いておけばいいわね。奥に瓶詰が並んでいるのがじゃまなのね。いったい、いつのかしら。そのうちきちんと整理しましょう。今日のところは〝とりあえず〃このままにしておこう。あーあ、納豆が入るスペースがないじゃない。野菜室にでもほうりこんでおこうかしら。なんか、このホウレンソウしなびているけど。今日のメニューは決めちゃったから、明日使おうかしら。〃とりあえずとっておきましょう〃。

シーン3：宅配便が届いて。

タツミさんからのお中元だわ。やだ、また乾麺セット？　しかたないわね。当分使わないし、乾物入れの棚に置いておこうかしら。外箱のままだと入らないし、外箱は捨てて麺とつゆの内箱には入れたままでいいか。〃とりあえずとっておきましょう〃。

シーン4：結婚パーティから帰って。

あの二人、わざわざ「みなさんにはそれぞれに合ったお礼の品を用意しました」なんて、凝ったことやるよな。何をくれたのかな。げ、これが俺向きのプレゼントかよ。趣味じゃないんだよな。しょうがねえなあ。あいつらがうちに来たときに飾ってないとまずいだろうし、しかたない、〃とりあえずとっておこう〃。

シーン5：新しい照明器具を買って。

やっぱりこのデザインいいなあ。この部屋にぴったり。今まで使っていた籐のカサはどうしよう。まだきれいだから、捨てちゃうには惜しいし。デザインもこれはこれで気に入っていたのよね。〝とりあえず〟置いておけば、使うこともあるかもしれない。

シーン6：取引先との面会が終わって。

驚いたね、先方があんなにたくさん来ているとは思っていなかったよ。名刺、足りてよかったな。もう誰が誰だったのかわからないのに、この名刺の束、どうするんだよ。ま、〝とりあえずとっておく〟か。この資料はどうするかな。契約はうまくいったし、あとはナカオが担当だから俺の手は離れるはずだよな。まあ、でも、万一のことがあると困るから、〝とりあえずとっておこう〟。

◆〝とりあえずとっておく〟心理

これらのシーン、思い当たる人も多いのではないだろうか。しかし、とりあえずとっておいた結果、なにかいいことはあるのだろうか。

おそらく、シーン1では、チラシが食卓に積まれたままだ。残業から帰ってきた夫はそんなものを見るよりも風呂に入ってテレビでも眺めるだろう。妻に「これ読むの？」と言われて「読むって言っただろう」と言いつつ流し見しておしまいだ。シーン2では、あるときふと瓶詰を手に取ってみたらとっくに腐っていたことに気づき悲鳴をあげる、ホウレンソウは結局一週間野菜室にあってしなびきって捨てられる、といったあたりだろう。シーン3なら、年末の大掃除に棚の整理をしていて、「なんだろう、この白い箱」と開けてみたら湿気《しけ》て食べる気のしない乾麺が出てくるのが落ち。シーン4では新婚夫婦は一度も遊びに来ないままプレゼントがどこかにしまいこまれているだけになるだろう。シーン5の照明器具は、納戸の隅を何年も占領したあげく、引っ越しのときに捨てられる運命になるに違いない。

これらは、じつは、最初の時点——もらったとき、取り替えたとき——から「やっかいもの」で、ほんとうは捨ててもいいモノだったのである。それを当人が意識しようとせず、〝とりあえず〟置いておいて、〝捨てる〟ときに「とっておいたけど使わなかったんだから、いいか」と自分を納得させているにすぎない。

そういう意味では、ちょっとだけ壊れたモノも含まれてくる。ちょっとだけヒビの入った茶碗、ちょっとインクの出が悪くなったペン、ちょっとだけ染みの付いたブラウス。これらのやっかいものはもったいないから〝とりあえずとっておき〟たくなるだけなのだ。

最後のシーン5にしても、もらった名刺は一度も見られることのないまま名刺ホルダーをいたずらに分厚くするだけで、資料は引き出しの奥になんの資料かもわからなくなって眠ったままになっているだろう。

〝とりあえずとって〟おかれたモノは、結局はゴミになる前にワンステップ置かれただけだといえる。〝とりあえず〟は、〝捨てる〟ことからの逃げなのだ。

必要性が明確なモノに対しては、〝とりあえず〟という心理は働かない。

この〝とりあえず〟感は、パソコンを使っている人なら、「ごみ箱」のような考え方ですよ、というと理解しやすいのではないか。「ごみ箱」とは、ウィンドウズでの名称で、マッキントッシュなら「ゴミ箱」と呼ばれる機能だ。

パソコンのデスクトップにある「ごみ箱」に、もういらないファイルを〝捨てて〟しまうと、〝とりあえず〟作業している目の前からはそのファイルは消える。けれども、それはほんとうに消えたのではなくて、ファイルはハードディスクに保存されているのだ。「ごみ箱」を「空にする」という命令を出して、はじめてほんとうにファイルは〝捨て〟られて、ハードディスクからも消えてしまうという仕組みである。

しかし、パソコンと現実世界には決定的な違いがある。パソコンの「ごみ箱」はいっぱいになっても場所はとらないし、容量を超えれば古いファイルは自動的に消えていく。ところが現実では、〝とりあえず〟ほうりこんだモノは、あなたが〝捨て〟るまでいつまでもそこにありつづけるのである。

◆こう考えよう

〝とりあえず〟と思いはじめたら、それは禁句だと思ってほしい。ほんとうに見たいチラシは、そのときに抜いておく。冷蔵庫の瓶詰が気になったらそのとき手に取ってみる。食品は箱から出してすぐ使うところに置く。たとえすぐ使わないにしても、まずは箱から出してしまう。しまいこまれがちな引き出物や粗品類も、まず箱から出すと使う機会ができてくるはずだ。

照明器具や家電、家具は、もったいないと思うから〝とりあえず〟と思ってしまうので、ほかに逃げ道を考えればいいのである。後に述べるリサイクルショップや友人関係を有効活用しよう。書類や名刺、雑誌などは、一番やりにくいモノだろうが、これも〝とりあえず〟と思わず、とっておく目的をはっきり考えることが大切ではないだろうか。

名刺がなぜ必要かというと連絡を取るためだ。でも、同じ会社の同じ部署であれば、何人もの名刺はいらない。名前と顔が一致していないのであれば、連絡を取る必要が出るとも思えない。書類にしても雑誌にしても、そこに載っているものの何が必要なのかを、しまおうとするときに考える。漫然ととっておくだけでは、結局、ほんとうに大切なものが資料の山に埋もれて見つからなくなるだけだ。

この、資料性のあるモノについては、第7条でもう少し深く触れよう。

第2条

〝仮に〟はだめ、〝今〟決める

〝とりあえず〟よりも必要性のはっきりしたモノについて、陥りやすいのは〝仮に〟の心理。しかし、〝仮に〟置いた場所がいつか〝決まった〟場所になっていくのが危険な兆候。

◆陥りやすいモノ

きちんと保存・整理しなければ、と思うモノすべて。本、CD、ビデオテープや資料類、食料品や洋服類など保存と日用が入り交じっているもの、文房具やこまごまとした日用品など。

◆こんな場面で起きる

〝仮に〟については、職場を例に考える方がシンプルでわかりやすいかもしれない。
たとえば、机の一番上の引き出しは文具類、二番目はパソコン用品をしまう場所、一番下は保存すべき書類のファイル、一番広い膝の上にあたる引き出しにはノートや作りかけの報告書などの紙類、と決めていたとする。
しかし、そんな決まりを無視して、モノは机を侵食していく。

シーン1

机の上には、今現在使っているものが積んである。現在進めている企画の資料だとか、読まなければならない学会誌だとか、昨日買ってきた週刊誌もいっしょに〝仮に〟積んであるのだ。さっき終わった会議の資料も、また来週使うかもしれないから〝仮に〟この山の上に積んでおこう。しまっちゃったら、場所がわからなくなるかもしれないし。

シーン2

先月まで進めていた企画は、過去にも同じような仕事をしたことがある。ファイルして机の引き出しに保存してあった過去の報告書の一部をファイルから抜いて、机の上に出して仕事をしていた。ようやく企画が完成し、自分の手を離れたのでコピーや切り抜きなどいらない資料を片づけようと思ったが、過去の報告書が今回の資料と机の上でごっちゃにまじってしまっている。過去の報告書は捨ててしまったら、コピーがない。いちいち選別している時間がないので、〝仮に〞まとめて過去のファイルにいっしょに綴じてしまった。

シーン3

プレゼンのために資料をプリントアウトしたところで、もっと急ぎの仕事が入ったので、〝仮に〞引き出しにほうりこんでおいた。べつにきちんとしまうほどでもないし、すぐコピーするつもりなんだから。パソコンにはちゃんと保存してあるんだし。

シーン4

引き出しの分類に当てはまらない保証書やカタログ、スナップ写真、もらったお菓子、ライターなどなど。どこにしまうか迷ったけど、一番広い引き出しにスペースが余っているので、〝仮に〞ここに押し込んでおこう。

シーン5

保存すべき資料がどんどん増えていくので、足元に段ボールを置いて、〝仮に〟そこを資料入れにすることにした。どんどんほうりこめて、便利便利。段ボールだから容量もたっぷりある。いずれまとめて整理しなおそうと思っている。

◆〝仮に〟の心理

〝仮に〟置いたつもりでも、そこが置き場所になってしまえば普通もう移動させない。置き場所としてあまりふさわしくない場所であっても、置いてしまえばそれをあらためて変えることはめったにない。

通路に置かれた段ボールひとつにしても、

誰もそれを片づけないでよけて歩いているだけという風景はよく見かける。狭い机の上を占領している紙の山であっても、向こうに押しやって済ませてしまう。めんどくさいから、だ。

そして、さらに〝仮に〟置かれるものは積み重なっていき、手がつけられなくなるのである。そして、

①そこにあることを忘れてしまう。
②どこに置いたかわからなくなる。
③収納してしまってもう開けない（出さない）。
④玉石混交になってしまう。
⑤置き場所として安易に使いつづける。

といった事態に陥る。

先のシーンでいえば、シーン1の机の上の書類の山は①④⑤、シーン2のごちゃまぜファイルは③④⑤、シーン3のプリントアウトは②、シーン4の引き出しは①②③、シーン5の段ボールは③④⑤があてはまるだろう。

つまり、それらのモノは再び使おうと思っても、①そこにあること自体を忘れてしまっ

たら、使いようがない。②どこに置いたかわからなくなったら、探し出せない。③不用意に収納したために、かえって使う機会がなくなってしまう。ゴミ予備軍と化すのだ。

そして手をつけようと思っても、④必要なものと不要なものが交じっているために、安易に置き場所を変えたり捨てたりできない。⑤安易に置き場所を作ったために一種のゴミ置き場と化している。だから、とっておかなければならないモノの量が必要以上に増えてしまうのである。

この事態は、家庭のリビングや台所、寝室でも起きていることであり、実際には〝仮に〞置かれないモノの方が少ないといってもいい。〝とりあえず〞と〝仮に置く〞は、人間にとってごく自然な心理であり、行動なのだろう。

このことを考えると、思い浮かぶお話がある。森のなかで木の実を食べて生きているリスなどの動物は、木の実をストックするために土のなかに埋める。いつか食べようと思ってしまいこむのだ。けれど、そのうちの何個かはしまったことを忘れてしまって冬を越し、春を迎える。それらの木の実はやがて芽吹き、若木が育っていく。いわば、リスと木の実のあいだに、食う－子孫を広める、という協力関係が結ばれているという話だ。

私たちの〝仮に〞は、なにか役に立つことがもしかしたらあるのだろうか。

◆こう考えよう

それでも、これほどモノでいっぱいの暮らしにおいては、不用意に〝仮に〟置くのはじつに危険だ。モノを捨てられなくなるだけでなく、必要なものが必要なときに出てこないのは、この〝仮に〟のせいだといってもいい。

ここは断固として〝仮に〟をやめ、〝今〟決めなければならない。仮に書類を紙の山の上に積もうとしたとき、その手を止める。仮に缶詰を食器棚の上に置こうとしたとき、その手を止める。仮に粗品のタオルを洋服だんすの空きスペースに押し込もうとしたときに、その手を止める。「ほんとうに、ここに置いていいの？」と考えてみる。

書類の半分は捨てられるし、残りは資料用ファイルにほうりこめばいいかもしれない。缶詰は、缶詰用の棚がいっぱいだから食器棚の上に置こうとしたので、缶詰用の棚には賞味期限の切れた缶詰や弁当箱、ポケットティッシュなどのよけいなものが詰まっているのかもしれない。粗品のタオルは、そのまま切ってウエスとして車のトランクに入れておくと便利かもしれない。ウエスがいっぱいあるなら、床の拭き掃除に使ってそのまま捨てれば掃除が楽になるかもしれない。

〝仮に〟をやめると、捨てられるものがほかにも発見できる効果もあるのだ。

第3条

〝いつか〟なんてこない

いつか使うかも、いつか必要なときがくるかも、いつか、いつか、と言っているうちに人生は終わるかもしれない。〝いつか王子さまが迎えに来るかも〟なんて夢見る少女には、〝いつか〟なんておそらくこない。そのままオバサンと化していくのだ。

◆陥りがちなモノ

洋服やバッグなど身につけるもの、本・雑誌・資料・パンフレット・カタログ類、録画したビデオや写真のネガなど記録もの、いただきもの（プレゼント、お中元・お歳暮・引き出物）、照明器具やテレビなど新しいものに買い替えたときに使わなくなったモノ。

◆こんな場面で起きる

〝いつか〟が登場するのは、モノを捨てようかどうしようか迷うシーンが多い。捨てる判断基準があいまいなために、〝いつか〟に逃げるのだ。

シーン1：たんすに服をしまおうとして。

たんすがぎっしりで、服がしわになっちゃってるなあ。少し整理した方がいいんじゃないかな。だいたい、いつも壁に服がかかっているのも気に入らないんだよ。この服なんかしばらく着てないよな。サイズが小さそうだな。俺も中年太りかね。しかし、気に入っていた服だし〝いつか〟痩せるかもしれないからこれは置いておこう。こっちはもう捨てようかな。学生時代の服だもんな。時代遅れだよ、この柄。でも、今だって七〇年代の服が流行っているし、〝いつか〟着たくなるかもしれないしな。

シーン2：インテリアのカタログを見ながら。

思い切ってカーテンを替えてよかったな。このカタログ、役に立つわよね。照明器具や洗面台なんか、センスいいじゃない。インテリアの参考にもなるし、〝いつか〟家具を買

い替えるときのためにとっておこう。

シーン3：アルバムを整理しながら。

子どもってどんどん大きくなるわよね。しかし、いっぱい写真撮ったものだわね。赤ちゃんのときなんか、月にフィルム五本は撮っていたもの。ネガ入れの箱もいっぱいになったし、そろそろ古いのは捨てようかしら。でも、もしあの子が大きくなって自分の写真を焼き増ししたくなったら困るしなあ。〝いつか〟必要になるかもしれないから、やっぱり捨てちゃまずいわよね。

シーン4：結婚式から帰って。

盛大な式だったたね。引き出物の袋もこんなに大きくて。さすが、名古屋だね。何が入っているのかな。このでかい箱は……ソバ用のザルと猪口セットか。けっこう高そうだよ、これ。しかしなあ、うちでザルソバなんか食ったことあったっけ。使うかなあ。でも、あげちゃうにはもったいないしなあ。〃いつか〃使うかもしれないから置いておこうか。

シーン5：電機店から帰って。

やったぜ、三六インチテレビ。こうして並べてみると、二四インチって小さいよなあ。やっぱりテレビは大きくなくちゃ。二四インチの方は、置き場所がなくなっちゃったな。寝室にはもう一台あるし、子ども部屋にもあるし。捨てるか。しかしなあ。粗大ゴミにすると五百円も取られるし、これ充分使えるんだし。〃いつか〃欲しい人がいるかもしれないから、それまでしまっておこう。

シーン6：宅配便を開けて。

田舎の母さんから味噌を送ってきたよ。ありがたいね。わざわざ宅配便用の段ボールを買って、こういうところはうちの母さん、律義なんだよね。この段ボールどうしようかな。

まだきれいだし、なにか送るときに便利かも。段ボールって引っ越しのときにかき集めるのってたいへんだしね。〝いつか〟使うだろうから、とっておこう。

◆〝いつか〟の心理

アンケートでは、処理に困るモノ、捨てるに捨てられないモノのベスト三は本、雑誌、洋服だった。これらが捨てられないのは、この〝いつか〟の心理のためだ。現在、捨てるかとっておくか考える対象になるモノは、まだ使えるモノばかり。腐った食品や壊れたテレビに対しては〝いつか〟の心理は働かない。

シーンの例であげたモノは、すべて使えるものばかりだ。たしかにとっておけば、使う機会、必要になる機会はくるかもしれない。しかし、おそらく〝いつか〟はこない。

シーン1の洋服は、中年太りのまま体型は変わらず年とって痩せたときにはさすがに若すぎる服は着られないし、いくら流行が繰りかえしてもやはり微妙に古い感じが嫌で袖を通さないままになるだろう。シーン2のインテリアカタログは、いざ数年後に照明器具を買おうと思ったときには新しいもっといいカタログに目がいき、シーン3の写真のネガは一度も焼き増しされないまま、ただ増えていくだけになるはず。

シーン4の引き出物のザルソバセットは、やはり家でザルソバはしないから使う機会もなく納戸の場所ふさぎなだけ、シーン5の古いテレビは引き取り手がないまま結局何年後かに粗大ゴミに出すことになる。シーン6の段ボールは、天袋に次々溜まり収納スペースをふさぎつづけることになる。

洋服がわかりやすい例かもしれない。クローゼットを開けてふと目にしたとき、ちょっといいなと思って、今が〝いつか〟なのかもしれないと思った経験は誰でもあるだろう。しかし袖を通してみても、やはりなにかが違う気がして、脱いでしまったのではないだろうか。着なくなった服、あるいは買ったものの着なかった服には、着ない理由がちゃんとある。その理由を考えないまま、〝着る〟機能にはなんの欠陥もないのだから、ととっておくからモノが溜まるのだ。

結局、〝いつか〟の心理は、〝もったいない〟の別バージョンなのだ。もったいないから〝捨て〟たくない。とっておくために、いつか使うことを期待する。その〝いつか〟にあてがあるわけではない。いずれ使うあてがあるものは、とっておく意味があるし、なによりも〝いつか〟などとは考えない。

〝いつか王子さまが〟と思っている女の子は、自分にそれだけの価値があるから王子さまが来るはずだ、と信じようとしているのだ。十年後に王子さまが迎えに来る予定の女の子は、迎えに来てくれる日を夢見ることはあれ〝いつか〟などとは思わない。

◆こう考えよう

〝いつか〟の封印を解く最強の呪文は〝三年使わないものはいらないもの〟だ。この〝三年〟はほぼ日用品すべてに当てはまる。洋服、食器、日用雑貨、テレビ、扇風機、ふとん、電話機、雑誌のバックナンバー、空き箱……すべて、だ。三年間、目にする機会があってもそのたびに使わないできたものは、どうせ使わないものなのだ。三年が三十年にならないうちに、〝いらない〟と気づけばそれで済むのである。

もちろん、〝三年〟では判断できないモノもある。会議の資料、雑誌などはもっと短いサイクルだろうから、自分なりに三か月なり一年なりの基準を考えればいい。もしかしたらもっと長いサイクルのものもあるかもしれない。要は、ある一定期間使わないものはおそらくその後も使わないのだ、と思い極めることである。

しつこいようだが、くだんの女の子も、三年待って王子さまが来なければ、年増になる前に、幼なじみと結婚して幸せな家庭を築けばいいのである。

第4条 他人の〝とっても便利〟は、私の〝じゃま〟

〝とっても便利〟なモノに囲まれてとっても不便な生活を送っているのは、あなたではないだろうか。〝便利〟という呪縛から逃れれば、モノにかぶさっていた幻の価値がはがれてみえてくる。

◆陥りがちなモノ

いわゆる道具類に特徴的に起きる現象。ほかになにかの備えとして置いておくモノにも起きることがある。

◆こんな場面で起きる

道具はある機能を果たすモノだ。ハサミならものを切る、鍋ならものを煮る、ドライバーならねじを締める——用途がはっきりしているから、〝捨てる〟話に関係してくるとは考えにくいだろう。

ところが、その便利な機能こそが危険なのである。

シーン1：デパートの店頭販売で買ったジューサー。

うちの夫は外食ばっかりだからなあ。野菜が足りないのよね。でも、ジューサーって印象が悪くて。結局使わないまま置いておかれるものじゃない？　昔のジューサーとは作りが違うって？　昔のジューサーは掃除がめんどくさいから使わなくなるものだったけど、これは簡単に洗えるから〝とっても便利〟なのね。たしかに、パカッと外すだけでよさそうね。便利かも。夫の身体のために、使ってみようかな。

シーン2：友人からもらった保温鍋。

火から下ろしてそのまま置いておくだけでおいしいシチューができる鍋だって言ってたけど、いまいち使いみちがないのよね。ガス代も助かるし、うちは赤ちゃんもいるから安心なのはわかるけど。彼女、一年間使っていて〝とっても便利〟って言っていたな。彼女はいいかげんなことを言う人じゃないし、料理の腕は私と同じくらいだし、彼女が便利だって言うなら、きっと便利なんだろうな。使わないなんて、損って言ってたくらいだからなあ。子どもがたくさん食べる年になったら使うかも。もう少し置いておこう。

シーン3：隣人が使っていた高枝バサミ。

脚立に乗って枝を切るのって怖いんだよな。まったく女房はぜんぜん助けてくれないんだからな。お、お隣はおもしろいものを使ってるよ。便利そうだな。はかどっているじゃないか。ちょっと話を聞いてみるか。女性でも使いこなせるんだ。〝とっても便利〟ですよ、って。うちも使ってみるか。え？　うちもいっしょに買った？　知らないよ、そんなこと。あいつ「私じゃ手が届かない」って言ってたはずだよ。

シーン4：パソコン通に教わった文書管理ソフト。

パソコンを始めて一年もたつと、初心者だった僕もなんとか仕事に使えるようになるもんだな。でも、ファイルが増えていくと、だんだんどこに何を置いたかわからなくなっち

折りたたみ
高枝ハサミ
買ってきたよ
また
買ったの
？

ゃうんだよね。仕事の種類も増えていくし、先輩がインストールしてくれた文書管理ソフトを使ってみようかな。ファイル名や日付で自動的にわかりやすく管理してくれるみたいだし、検索機能も充実しているっていうし。仕事でパソコンを使うなら、〝すげえ便利〟だから入れておきなよ、って力説していたしね。しかし、難しいな。本当に僕でも使いこなせるのかな。もっとパソコンに慣れれば便利に使えるのかな。パソコン通の先輩が言うんだから、間違いないよね。しばらくこのまま入れておこう。

シーン５：友人に勧められたレトルト食品。

まったく、夜遅く帰ってきて食事を作るの

ってめんどうなのよね。一人暮らしのつらいところだわ。この間、ユウコが言っていたレトルト食品をストックしてみようかな。賞味期限が長いから急いで消費する必要もないし、食べたいときにすぐ食べられるから〝とっても便利〟って言っていたし。へえ、一年ももつのね、じゃあ、十パックくらい買っておこうかな。

シーン6：保育園で使っていた熱冷まし用のシート。

これがコマーシャルしている熱を冷ますシートなのね。うちの子はしょっちゅう熱を出すし、便利かもしれない。あんな小さな子でもおとなしく額に貼ったまま寝ているんだし、うちの子にも使ってみようかな。先生にどこのメーカーがいいか、訊いてみよう。どこでも同じだって。一袋救急箱に入れておくと〝とっても安心〟ですよ、っておっしゃるんだから、専門家の意見に従ってみよう。

◆〝とっても便利〟の心理

これは解説するまでもないだろう。他人にとって便利なものでも自分にとってはあまり使う機会のないものだった、という経験は、誰にでも一度や二度はあるはずだ。

それぞれのシーンの結末がどうなるかも、あえて書く必要がないだろう。それでもあえて説明するとしたら、シーン4の文書管理ソフトは、使い方がよくわからないままなんの役にも立たず、ハードディスクの容量をとりつづけるだけであろう。シーン5については、普段は外食したりコンビニの冷凍うどんやカップ麺などを食べたりして済ませることが多く、今まで使う習慣のなかったレトルト食品は気がついたときには賞味期限切れになっているに違いない。

この、〝とっても便利〟の誘惑の強さは、A社に代表されるようなネズミ講式の物品販売がいつの時代でも常にもうかっていることからもわかる。

しかし、日常生活で出くわす場面の多くは、勧める人の好意に基づいているために、さらにやっかいだ。実際に、その人が使って便利だったからこそ勧めているときに、その威力に抗するのは難しい。こちらのことを思って勧めている人に、「いりません」というのはさらに難しい。友人関係にもヒビが入る。下手すれば〝かたくなな人〟と思われてしまうかもしれない。

もう少し、範囲を広げて考えてみよう。戦後の私たちの生活は、この〝とっても便利〟の嵐のなかにあったのだといえはしないか。家電メーカーの〝とっても便利〟なマイコン炊飯ジャー、ガス会社の〝とっても便利〟な二十四時間風呂、文具メーカーの〝とっても便利〟なテープカッター、自動車メーカーの〝とっても便利〟な新型車……。

〝とっても便利〟は、だから使ってみたら？的消極的な勧め方ではなくて、だから使わなきゃ的強制的な勧め方だったのだ。

この〝とっても便利〟シンドロームが、中年以降の主婦に多いのは、戦後の歴史を考えてみてもうなずける。序章で述べた筆者の母親世代は、この台詞にじつに弱い。しかも、伝染力があるらしく、人から勧められたものを今度は別の人に勧めはじめるのだ（母親から〝とっても便利よ〟と勧められて、しかたなく置いてあるモノの数といったら……）。

また、なにか新しいライフステージに入ったときにも、〝とっても便利〟シンドロームに陥りやすいことを指摘しておきたい。

新しく社会人になった人に先輩社会人の叔父さんから贈られた〝とっても便利〟な名刺ホルダー、はじめての子どもが生まれた家庭に届く〝とっても便利〟な育児用品の数々、一人暮らしをはじめた娘のもとに母親から送られてくる〝とっても便利〟な鍋や家電類。どう便利なのか使いこなそうとして悪戦苦闘したあげく、それが〝とっても便利〟どころか、かえってじゃまになるだけだと気づくのに時間はかからないだろう。

まあ、ほんとうに便利なモノも少なからずあるのは事実だが……。

◆こう考えよう

つまるところ、これに対処するには〝おのれを知れ〟ということに尽きる。人は人、私は私、と思い切れば、普段必要を感じていないモノはいらないものなのだとわかるだろう。戦後、企業は新しいモノを作るたびに新しいニーズ（需要）を掘り起こしていった。ニーズがあってモノが生まれたのではない。このあたりはマーケティングの話になるので深くはつっこまないが、その戦略からそろそろ自由にならなければならない時期にきているのだ。

第5条

〝聖域〟を作らない

〝聖域〟とは、これは捨てるべきものではない、と神聖視しているモノの群れのことである。役に立つ、立たない、古い、新しい、というモノの価値を判断する軸とはまったく別のところにあるものだ。しかし、それはほんとうにモノそのものの価値なのだろうか。

◆陥りがちなモノ

書類・資料類、思い出のモノ・記念のモノ、食品、本など。

◆こんな場面で起きる

〝聖域〟化しやすいモノは、はっきりとパターンがある。そして、本人はその神聖さをうたがっていないものなのだ。

シーン1：書類・資料類

まったく、秘書でも欲しいわよね。いくつもの仕事を同時進行でやるなんて、私の管理能力じゃむりだっていうの。クライアントからはファクスが毎日舞い込むし、会議のたびに資料は束になって積んであるし、過去のデータや新聞報道もチェックしなきゃいけないし。プロジェクトが終わるまでは万一を考えて資料は全部とっておかなきゃいけないしね。おっと、このデータ、うっかりゴミかと思っちゃった。意味のある数字だし、参考資料として次回の会議に提出した方がいいわよね。

シーン2：思い出のモノ・記念のモノ①

あの子、赤ちゃんのときからかわいかったわよね。この小さな服、こんなのを着てたんだから大きくなるのはあっというまね。でも、そろそろバザーにでも出そうかしら。このおくるみはレースがきれいだからとっておこう。お宮参りで着たベビー服はお義母さんからのプレゼントだから記念に置いておかなきゃ。この服はあの子が気に入っていつも「クマさん」と指差していたっけ。あー、どれもこれも大事な思い出だわ。

シーン3：思い出のモノ・記念のモノ②

そろそろ本棚もいっぱいだし、少し本を処分しようかな。この段がネックだよなあ。学生時代の教科書や参考書が全部とってあるんだもんなあ。もう使わないかな。でも、うちの研究所で、もしかして参考にしたいことが出てくるかもしれないしなあ。ちょっと内容をチェックしてみよう。懐かしいな。まじめにアンダーラインが引いてあるよ。このころはよく勉強したよな。へへ、「M子七：○○渋谷ハチ公」だって。電話しながらメモしたんだな。M子、もう結婚したのかなあ。やっぱり、思い出があるよな。たまに見ると、いいもんだよな。

シーン4：食品

おいおい、また冷蔵庫のなかでハムがダメになってるぜ。こっちの肉は大丈夫なのか。牛乳は明日が消費期限だぜ。まったく、食い物を少しは大事にしろよ。おまえ、母親から「食べ物は粗末にしてはいけません」ってしつけられなかったのかよ。世界中の飢えた子

どもがかわいそうだと思わないのか。お百姓さんに済まないとか、さ。古いね、俺も。

シーン5：本

え、この本捨てるの？　燃えるゴミで？　お姉ちゃん、それはまずいでしょ。本はやっぱり大事にしなきゃ。私なんか、子どもが本をまたぐだけで厳しく叱るわよ。

◆〝聖域〟の心理

まず最初にはっきりさせたいのは、仕事のもの（書類・資料）は神聖だと思う心理の甘さだ。

その心理をついた格好の例があるので以下に引用したい。資料の整理法を述べた著作をこういう場で引用するのはフェアではないかもしれないが、著者は〝捨てる〟ことの大切さを充分理解したうえで、資料類のみを神聖視しているので、あえて引用させていただく。

「衣服、道具、食品などのモノについては、『必要か不要か』の判定は、比較的容易である。腐ったものや壊れたものを判別するのは、至って簡単なことだ。一般に、モノの多くは、物理的な特性や外形で、要・不要を判断できる。本書の対象は主として紙であるが、紙であっても、選別が容易なものはある。たとえば、ちり紙であれば、使用後のものは一見して分かる。紙の袋も、破れてしまえば使えないから、不要である。これらは情報を体化したものではないから、選別が容易なのだ。情報を体化していても、形式基準で判断できるものもある。たとえば、新聞はそうだ。日付が古くなったものは、価値が低く、したがって不要である確率が高い。しかし、メモや資料はまったく違う。破れていても古くても、重要なものがある。それを間違って捨ててしまうことによる損害は、きわめて大きい」

（野口悠紀雄『「超」整理法3』）〔傍点引用者〕

　ここまで読んでくださった読者なら、この論旨がどこか偏っていることに気づいていただけるだろう。衣服、道具、食品などのモノの要不要がそんなに簡単に判定できるなら、家庭のなかはこれほどモノで溢れるはずはない。職場にしてもそうだ。使えるけれどもいらないモノが多すぎるからこそ、選別に困るのである。そういう意味では資料類と同じなのだ。先の論旨をなんの違和感もなく受け入れる人は、すでに資料類＝情報を〝聖域〟とみなしているのだ。際限なく流れ込む情報を管理できないのは、それを〝聖域〟とみなしているからなのである。

さらに付け加えるならば、仕事を神聖視しているビジネスマンが自分の仕事のモノを〝聖域〟とみなし逆に家庭のモノを軽視しつづけている限り、職場はモノで溢れつづけるだろう。モノを捨てる技術は、どこかのジャンルに限ったものではない。生き方、とまでいえる姿勢なのだ。

思い出のモノ・記念のモノについても、食品や本についても、それぞれが神聖視される理由は、それぞれにある。情報はなくしたらまた集めるのが難しい、思い出や記念のモノはなくしたら二度と手に入れることはできない、本は本だから食品は食品だから粗末にしてはいけない（ここで、本は本だから食品は食品だから、と思う理由について詳しく分析する必要はないだろう。そういう常識が行き渡っていると思い当たっていただければいい。常識というものは理屈づけることはできても、明快な根拠を示すことは難しい）。

しかし、それはあなただけの価値にすぎない。アンタッチャブルだと思っているのは、じつは自分だけなのである。あなたが、そのモノを捨てられないのは、あなたがそのモノに寄りかかっているからなのだ。

◆こう考えよう

この考え方に抵抗するには〝あなたが死ねばみんなゴミ〟と言うしかない。

あなたが価値があると思っているのならば、さしでがましいことを言うつもりはない。宗教にはまった人に、その宗教がまやかしだと説いても無駄なのと同じことだ。きちんとファイリングされた資料が二度と開かれなくても、思い出の品に囲まれながら過去に生きようとも、本の重みで床が抜けようとも、賞味期限ぎりぎりの食品ばかり食べつづけようとも、それはそれでしあわせなのならば、それでいい。

しかし、あなたが死ねばみんなゴミなのだ。たった今、交通事故であなたが死ねば、あれほど大事にしていたアルバムはうち捨てられる。本は一山いくらで古本屋に買い取られる。それなら、死ぬ前にもっとすっきりさせたほうが気持ちがよいではないか。

第6条

持っているモノはどんどん使う

〝揃い〟〝お客さま用〟〝よそ行き〟などの理由で使われないまま置いてあるモノは多いはず。せっかく持っていても使わないならば、持っているだけ無駄ではないか。

◆陥りがちなモノ

本、雑誌、CD、食器、洋服など。

◆こんな場面で起きる

同じモノのなかをある枠でくくってしまうと、せっかくのモノもただ持っているだけになってしまう。きっと誰にでも思い当たるのは、以下のようなパターンだろう。

シーン1：本棚を眺めながら。

学生時代から愛読している筒井康隆の本。単行本はほとんど初版で持っているんだよね。ついつい、単行本は持っていても文庫になると解説が読みたくて文庫も買っちゃうし全集は全集で欲しかったりするから、もう本棚ひとつが全部、筒井康隆。でもなあ。昔の作品の方が好きだったんだよね。最近じゃ、買っても読まないでいる本があるもんなあ。これなんか、一度も開いてないよ。たぶん、これからも読まないだろうなあ。でも、せっかく〝揃え〟てるんだから、並べておきたいよなあ。

シーン2：実家に帰って。

お母さん、ケーキ買ってきたからお茶にしましょうよ。カップはどこにあるの？　へえ、新しいティーセットを買ったんだ。きれいじゃない、これでお茶飲もうか。え？　だめなの。〝お客さま用〟？　ふーん、じゃあどれを使えばいいの。あれは？　前にお客さま用だったのは、使ってもいいの？　だめ？　お仲間が集まったとき用だって。なんだ、結局、昔から使ってるこれしかだめなのね。これ、欠けてるわよ。なんとかしてよ。

やっぱり
こっちかな！
永久保存CD
よくきく
CD

シーン3：CDを整理しながら。

CDも溜まったよなあ。少し売ろう。ワールドミュージック、流行ったよね。今じゃもう全然聴かないから、これはまとめて売っちまおう。クイーンなんか一枚出てきたよ。これ気に入ってたんだよね。これは売らない、と。ドアーズがたくさん出てきたぞ。へえ、俺ってアルバムを全部持ってたんだ。聴くのはこの二枚くらいだったなあ。残りは売っちゃおうかな。でも、〝揃って〟るんだから、惜しいよな。 いちおう、置いておこう。

シーン4：娘のクローゼットを開けながら。

ナギサちゃん、今日はお友達の家に行くって言ってたわね。何を着ていくの？ リボンのついた赤いセーター？　あれはダメよ。〝よそ行き〟じゃない。イチゴのにしたら？　嫌なの？　チェックのがいいって？　あれもダメよ。まだ一回しか着てないじゃない。お正月に着ようと思ってたんだから。

◆持っているモノをどんどん使えない心理

同じモノを用途などでくくることで、区別された部分は特別扱いされてしまう。いったん特別扱いしてしまったら、もう手をつけられない。いわゆる〝宝の持ち腐れ〟状態になるのだ。ここでは〝揃い〟と〝お客さま用〟の心理をそれぞれ考えてみよう。

〝揃い〟はコレクションの心理だ。もともと、揃ったものには完璧さ、美しさがある。昆虫好きの人間が、虫を集めるときに「この種は集めている人が少ないから」「この種なら全部集められるから」と思って、コレクションする虫を決めることがあるという。たとえば、全十五巻の本のうち、一巻だけ抜けていたら気持ち悪いと感じるのが自然だろう。

しかし、全部揃えることに、「揃えた」という事実以上の価値があることは少ない。そこに価値を感じるようになると、すでにコレクターの域に入ってくる。揃っていなければ、と強迫観念になってしまったら手の打ちようがない。

特定の著者の本、雑誌のバックナンバーなどはこの状況に陥りやすい。手をつけないか、〝揃い〟まるごと全部処分するか、の選択しかできなくなってしまう。

〝揃い〟の方が価値がある、との思い込みも危ない。お宝モノの鑑定で、「これはもともと五枚組の向付《むこうづけ》だったはずですよね。揃っていればもっと高い値がつきますけど」などといった古物商の言葉を鵜呑みにすると、〝揃い〟の呪縛に引っかかる。

〝お客さま用〟も似たような心理だ。お客さま用には〝揃い〟のものが使われるように、〝揃い〟の特別感を重んじる心理が働いている。六脚セットのティーカップを割ってしまって四脚になったら、普段使いに下ろす、などといったこともするはずだ。

◆こう考えよう

持っているモノはどんどん使おう。逆に、使わないモノは持つのをやめよう。

どうして〝揃い〟でなければならないのか。読みたい作品が入った本だけをとっておけばいいではないか。読みもしないのに全集だからとわざわざ全部とっておく必要はない。全集は揃っていればたしかに美しいかもしれないが、あなたの本棚をほかに誰が見るというのだ。

よほど格式のある家ならともかく、気の置けない友人を招くために〝お客さま用〟のティーセットを置いておくのはやめよう。気に入った食器は日常使って、あなた自身も楽しめばいい。普段使いとお客さま用で十脚のカップを置いておくなら、気に入ったカップを五脚買い集めればいい。その方が収納スペースも費用も助かる。たとえ割っても、一つ買い足せばそれで済む。

既成の〝揃い〟にこだわらずに、必要なモノを買っていったらいつのまにかそこに〝揃い〟が感じられる暮らしの方が素直な気がする。

洋服にしてもそうだ。今は、日常と非日常にそれほどの差がないのだからあえて日常使わないモノを取り分けておくことはない。〝よそ行き〟のまま一回しか着ないで洋服が古びてしまったら、その方がもったいないではないか。

第7条

収納法・整理法で解決しようとしない

女性が日用品について信奉したくなる〝収納法〟、男性が書類や資料について信奉したくなる〝整理法〟。システマティックに片づけられたモノはすっきりと機能的に見えるかもしれない。けれども、収納法・整理法の第一歩は〝捨てる〟作業から始まることを自覚しなければならない。

◆陥りがちな場所

押入れ、台所の棚、食器棚、冷蔵庫、本棚、資料入れなど、いわゆる収納場所に起きる現象。

◆こんな場面で起きる

テレビの主婦向け情報番組で、「収納名人」の主婦が登場して得意げに自分の台所収納術などを披露している場面をよく見かける。現在はひところよりも少ないようだが、それでも根強い人気があるようだ。通販雑誌をパラパラめくると、「収納グッズ」はかなりのスペースを取って紹介されている。一方、男性諸氏がお好みなのは、整理法。書類の整理法や書斎術、パソコンの情報管理術などなど、その手の本が氾濫している。

シーン1：通販カタログを見ながら。

幅一五センチの隙間家具かあ。ちょうど、冷蔵庫と食器棚の間がそのくらい空いているのよね。あそこにぴったり。シンクの前にごちゃごちゃ置いてあるスパイスとかソースを置くとすっきりするわよね。料理の本もここに置けばすぐ見られるし。

シーン2：テレビを見ながら。

そうかあ、台所の乾物入れの棚を整理するには、まず容器の大きさを揃えるといいのね。たしかに、そうするときっちり詰め込めるし、ラベルを貼っておけば、何が入っているか

すぐわかるし。使いやすいわよね。うちなんて、大きな密閉容器にほうり込んで、入りきらないものは袋のまま突っ込んであるものね。あれじゃあ、湿気《しけ》ちゃうし、やっぱり主婦として恥ずかしいかなあ。タッパーはいくつくらい必要かな。うちの棚なら十個は並べられるから、十個買ってみようかな。

シーン3：押入れを開けて。

押入れ収納のグッズってよくできてるわよね、主婦の悩みをモニターでもしてるのかしら。押入れの幅も奥行きもきっちり使い切ってるのって、気持ちいいわよね。我ながらきちんと収納してあるし。右一列がタオルの引き出し、真ん中の列が下着やパジャマの引き出し、左一列が工具やガムテープなんかの引き出し。たっぷりしているから、いくらでも入ってありがたいわあ。

シーン4：書店から帰って。

またこんなに本を買っちゃった。本棚もそろそろ限界かなあ。もう一本、文庫本専用の本棚を買おうかな。文庫は出版社別に並べるとわかりやすいしね。単行本は、作家別の分類じゃもう対応しきれなくなってきちゃった。図書館みたいに、国内文学と外国文学、社会学、科学、実用書、って分類して入れようかな。さっとしまえるし、探すのもわかりやすいし。図書館の整理法は、それなりの理論があるんだからきっと有効よね。

シーン5：会議から自分の机に戻って。

最近は会議というと資料コピーの束がすごいよな。パソコンで簡単にプリントアウトできるせいかな。さて、資料をしまっておくか。いくら資料が増えても、もう大丈夫。最近、俺、○○式整理法を実践しているんだよね。インデックスに従って、と。わかりやすいよな。見よ、この棚の整然たる風情。いかにも、仕事できますって感じ。以前の雑然とした俺の机とは、まるで別人だよな。

◆収納法・整理法の心理

収納法・整理法の落とし穴は、二つの視点から考えられる。

ひとつは、それが〝借りもの〟である点だ。収納の名人や整理の達人は、基本的にはシステマティックに収納・整理することが好きな人といえる。好きとはいわないまでも、資質として向いているから方法論にまで確立できたのだ。そういう人とあなたとは別の性格の持ち主なのだから、そういう人たちが確立した収納法・整理法をやろうとしてもどこかに破綻がくる。

実際によく耳にするのは、「いろいろ整理法を試したけど、結局、うまく資料を整理できないのよ。私ってダメね」という嘆きだが、これは本人の意志の弱さだけが問題なのではない。その方法論がその人の性格とズレているから、気持ちの負担なしに実践できない部分も大きい。

それでは、万人向けに作られているようにみえる図書館学や博物館学は、個人で応用可能なのだろうか。シーン4のケースである。

図書館や博物館など、モノを大量に所蔵する機関にはそれなりの体系化された整理法がある。そして、整理を専門とするプロが働いている。秘書のように、他人のスケジュールや資料類を整理する専門の職業も、ある。それはつまり、本格的な整理・収納には、勉強して身につけなければならないほどの技術がいる、ということだ。個人と万人は違うのである。

しかし多くの場合、こういう特殊な技術を参考にしようとは思うまい。私たちが日常参考にしたくなる収納法・整理法の多くは、〝自分はこうやっている〟的なスタンスである。それを他人が真似しようとしても、無理があるのは当然だ。シーンの例でいえば、2の乾物収納法や5の○○式整理法は、おそらく、遠からず元の状況に戻るに違いない。

そう聞くと、鋭いあなたは、「じゃあ、おまえの〝捨てるための技術〟はどうなんだ」と突っ込みたくなるだろう。しかし、収納法・整理法の伝授とは、もともとの姿勢が違うことを了解してほしい。収納法・整理法については、〝収納〟〝整理〟は善である、との前提に立っている。整理したいと思っているのに、上手にできない人のための方法論の伝授なのだ。

しかし、〝捨てるための技術〟は違う。今現在、〝捨てる〟ことはよくないことだとされている、その常識から逃れるのが目的だ。そして、捨てるための〝技術〟の必要性を納得していただきたいと思っている。それが、ひいては〝いかにモノを持つか〟を考えることになるからだ。

言い訳めいた話はこのくらいにして、もうひとつの落とし穴を検討しよう。それは、そのモノがとっておく必要があるかどうかを考えずに分類に従って突っ込む結果になりかねない点だ。

住宅の建築家は、こういう傾向について苦い経験があるという。専門家の意見を引用してみよう。

「たいていの家には納戸や押入れがあり、また設計時に奥さん方は必ず要求します。モノが片付くからと頼まれて納戸が五つもある家を設計したことがありますが、五つとも即日満杯になりまして、その後もやはり家中にモノがあふれていました。モノを集め狂って、どこかにしまって忘れてしまうというのは、動物の世界ではよくあることだといいますが、人間では女が専門のようです（筆者注：これは男性のうぬぼれではないか）。事実、主婦はものを入れて扉を閉めれば隠してしまえる押入や納戸が大好きです。そういう部分をたくさんとればよい設計だと喜ばれるのは経験上分かっています。けれど、いくらたくさん収納を作っても、そこは後から後から買い込まれるモノたちですぐに一杯になるだけだ、ということも私たちは同時に知っています」（宮脇檀『男と女の家』）

筆者は職業柄、住宅メーカーの話を聞く機会もあるが、みなさん、口を揃えて「収納スペースが多い間取りが人気があります」とおっしゃる。その豊富な収納スペースに、収納家具を入れ、収納法にしたがって、モノをしまいこんで、そして溜まっていくのである。シーン1の隙間家具はいずれ台所小物がごちゃごちゃに詰め込まれ、シーン3の押入れ収納にはいっぱいになるまでぎっしりモノが詰まっていくと予想できる。

書類についても、例に漏れない。

◆こう考えよう

では、どう考えたらいいのか。一八〇度考え方を転換して、モノが多いから収納法・整理法が必要になるのだと考えよう。モノを減らせば方法論に頼るまでもなくなってくるはずだ。

先に引用した宮脇檀氏の話が示すように、モノは収納スペースいっぱいまで増える運命にある。本が溢れて仕方ない人が、本棚を買い足したとたんすぐにそこもいっぱいになって、また床や階段に本が溢れる事態はよくあることだ。洋服も、たんすがあればあっただけしまいこまれることになるだけだろう。モノの増殖をそのままにして収納法・整理法ですっきり片づけること自体が無理なのだ。容量を超えたモノまで整理できる整理法など存在しない。

ぎっちり服が詰まった洋服だんすは、いくら整理しても便利な収納法を採り入れても、服の量が減らないかぎり〝ぎっちり〟で使いにくいことに変わりはない。

先に引用した野口悠紀雄氏の『「超」整理法』が画期的といわれたのは、「整理は分類では解決しない」と言い切り、時間軸という別の整理の方法論を採り入れたためだった。しかし、筆者にとってみれば、どちらにしてもあるシステマティックな方法論に従ってモノを整理できると思っている点では、他の整理法と同類である。また、野口氏は「とりあえず捨てるためのバッファー」を提案されているが、モノにこのような階層をつけていくとどうなるかは、すでに述べたように明らかだろう。

結局、収納法・整理法の最大の落とし穴は、秩序を守る喜びにいってしまうことではないか。秩序が守られたことで安心できるならそれもいいが、モノの増殖を食い止めるにはもっと積極的な〝捨てるための技術〟が必要なのである。

モノの量を減らせば、系統だった収納・整理を用いなくても自然にモノは管理できる。極端にいえば、〝雑然〟と置いておいてもよくなるのだ。仕事の書類・資料は別だと思いたい気持ちはわかるが、大量の文献を必要とする学者ならともかく、筆者程度の資料の量なら〝雑然〟と置いてあってもだいたい資料は管理できている。

整理整頓が苦手なので仕事部屋は別にシステマティックに管理していないが、基本的には必要な資料類しかないので、まあ二、三か所探せば探し物は出てきてくれるのである。このように〝だいたい〟わかっていれば、一般的には充分なはずだ。

最後に収納法・整理法を有効に活用する考え方も述べておこう。それには、シンプルライフのカリスマの意見を聞くのがよさそうだ。

「収納法のことが書いてある本や、整理術を特集した雑誌などを買って、物を捨てずにできる『スッキリ収納』を試してみたこともありました。でも、物の山を少々見栄えよく移動させただけで終ってしまい、結局同じことの繰り返しが続きました。（中略）今回ばかりは思い切って不必要な物はすべて追放しようと心を鬼にしたのです。（中略）机の中身の80パーセントは不要なものだと判断し、捨ててしまうことにしました。（中略）物を捨てるというのは、想像以上に心苦しい（ときに罪悪感を伴う）作業です。でも、何度も考え、そして悩みながら物を捨てていくと、結果的に『自分や家族にとって、本当に必要な物』だけが残ってきます。結局このときの『捨てる辛さ』が、安易に物を買うことへのためらいにつながり、本当に必要な物を大切にする気持ちを、芽生えさせてくれるのではないかと思います」（山崎えり子『節約生活のススメ』）

さすが、モノの持ち方について考えている人はよくわかっている。借りものの収納法が有効だとすれば、〝収納法ではモノは片づかない〟と知るために有効なのである。

付け加えれば、英国流シンプルライフなど外国の暮らしに学ぶ式の方法論もよく見かける。しかし、山崎氏がドイツ暮らしからシンプルライフを実践するようになったようにモノの持ち方に目覚めるという点では有効だろうが、どこかの国の暮らしをそのまま採り入れるのは無理だと思っていた方がいいだろう。アメリカ式の消費中心の暮らしがうまくいかないからといって、どこか他の国に規範を求めるのはもうやめよう。

第8条 〝これは捨てられるのでは〟と考えてみる

これまで七つの考え方を説いてきたが、その根底にあるのは〝これは捨てられるのでは〟と意識せよ、ということだ。なにか気になるモノが目についたら、常に〝これは捨てられるのでは〟と考えてみよう。

◆あてはまるモノ

目に入るすべてのモノ、手に取ったすべてのモノ。どうでもいいと思いがちなモノにとくにあてはまる。

◆こんな場面で起きる

この考え方はいたってシンプルだ。目に入るすべてのモノを〝捨てる〟という観点から見直すということだ。以下に想定するシーンは、〝捨てる〟という観点を持たない人がどう行動するかを考えてみたものである。

シーン1：食卓に置かれた封筒を見て。

封が開いてるけど、なんだろう。電話代の内訳か。今月の電話代は思ったより多かったな。うちも、東京電話とかの安い会社に加入することを考えた方がいいかな。なかにどっさり入っている紙はなんだ？　テレチョイス？　ISDN？　NTTのサービスの案内か。妻がまた見るのかな。置いてあるんだから、いちおう元のところに置いておこう。

シーン2：状差しから年賀状の束が落ちてきて。

去年のだよ、これ。入れっぱなしだったんだ。こうして見てみると、年賀状のやり取りだけで十年以上たつヤツも多いよね。子どもの写真見せられたって、うれしくもないけどさ。おっと、眺めてたら時間がたっちゃった。また、状差しに戻しておこう。

シーン3：食器棚からグラスを出しながら。
どのグラスで飲もうかしら。なんて、いつも迷うけど、結局ビールはこのグラスが一番おいしく飲めるんだなあ。おっと、隣のグラスを倒しそうになっちゃった。これって、景品についてきたグラスだ。ビール会社のロゴが入ってるから、なんとなく使わないのよね。ま、数のうちだし、しまっておこう。

シーン4：パソコンで仕事しながら。
インターネットが使えるようになって便利になったよな。霞ヶ関まで行かなくても、公の統計がすぐ見られるんだから。プリントアウトして、と。きちんと検討するには、どうしても画面じゃなくて紙の文字の方が見やすいんだよね。さて、これでＯＫ。このプリントアウトはファイルしておくか。また検索するのもめんどくさいし、いつかは使うデータだもんね。

シーン5：床の上に投げ出してある雑誌をまたぎながら。
じゃまだな、これ。昨日の夜も踏みそうになったんだよな。誰が置いたんだよ、って俺

誰だよ！
雑誌を
床に置くなって
いつも言ってる
でしょう！

しかいないよ。先月の週刊朝日か。俺、ちゃんと読んだっけ。テーブルの上にでも置いておくか。

◆"これは捨てられるのでは"と思えない心理

なんにせよ、状態を変えるのにはエネルギーがいる。そのままにしておくのが一番楽だ。なにもしなくていいのだから。

なにかモノが目に入ったとき、それが探していたモノ、使おうとしているモノであれば、すぐ手に取って目的に応じて使うはず。そこにある必然性のあるモノであれば、気にも留めずに済むだろう。「あれ、ここにこんなモノが」と気にかかるのは、それなりに理由がある。

同じ気にかかるにしても、そこにあってはいけないモノならしまえばいい。トイレットペーパーが居間にあれば目につく。パジャマが食卓の椅子の上にあればやはり目につく。定期入れが洗濯機の上にあれば、おや、と思う。それを所定の位置に置くかほっておくかは、その人が整理整頓が好きな人か苦手な人かというだけの違いだ。

そうではなくて、そのモノが、なにかよけいな感じ、じゃまな感じ、目ざわりな感じを発していたために目についたのなら、それは〝捨てられるかもしれない〟モノの可能性が高い。

手に取ったモノについても同様だ。たまたま手に取ったにしろ、これはあそこにしまうもののはず、これはこのまま置いておけばいい、とはっきりしているモノはいい。けれども、一瞬、〝どうしようか〟との思いがよぎるモノは、〝捨てられるかもしれない〟可能性があるモノなのだ。

シーンで具体例を出した、NTTの明細書、年賀状、ビール会社のグラス、データのプリントアウト、週刊誌などは、じつはすべて捨てていいモノではないだろうか。目についたモノが明らかなゴミなら、すぐに捨てたはずなのに、なまじな価値があるために〝捨てる〟という選択肢を忘れているのだ、といえる。

◆こう考えよう

〝目についた、まさにそのときが捨てどき〟である。そうしないと、また目につかないまま、いらないモノが置かれている状況が長引くだけだ。

そう考えると、日本人はうまい習慣を持っていることに気づく。大掃除である。

かつてはいざしらず、現代では大掃除は、一年間に溜まったモノを処分するイベントとなっているのではないか。家のなか、家の外を問わず全部掃除しながらあらためて、いらないゴミを出している家庭が多いはずだ。そういう意味で、大掃除は、モノを目につかせ、〝これは捨てられるのではないか〟と思わせる行事なのである。年末の粗大ゴミ、燃えないゴミの日のゴミの山を思い浮かべれば、あながち極論だとも思わないのではないだろうか。

第9条

〝しまった！〟を恐れない

捨ててしまって後悔するかもしれない、捨ててしまって困るかもしれない、と思う気持ちがモノを捨てさせない。でも、捨ててしまってほんとうに困るモノは、あるのだろうか。

◆陥りがちなモノ

〝聖域〟とほぼ重なるモノが多い（書類・資料類、思い出のモノ・記念のモノ、本など）が、それ以外のモノに関しても起きる。

◆こんな場面で起きる

「しまった！」は、捨てられない人がもっとも恐れる事態ではないだろうか。その恐怖のシーンを想定してみよう。

シーン1：仕事机で。

おかしいなあ。ないなあ。あの仕事したのって、いつだっけ。去年かあ。去年の仕事のファイルにもはさんでないしなあ。あの資料集があると、今回の仕事に役に立つんだけどな。どうしたんだっけ。あ、少しずつ思い出してきたぞ。あの仕事が終わった時点でもういらないと思って捨てたんだ。〝しまった〟なあ。こんなことなら捨てるんじゃなかったなあ。

シーン2：住所録をめくりながら。

あれえ、彼女ってたしか九州に転勤したはずだけど、大阪のままになってる。年末の大掃除のとき、引っ越し通知を引き写したつもりで捨てちゃった記憶があるなあ。〝しまった〟な。お正月に年賀状がきてたはずだけど。やだ、お年玉プレゼントの番号をチェックして、捨てちゃったんだ。〝しまった！〟。連絡取れないじゃない。

シーン3：子どもと話しながら。

へえ、こんな難しい製図を授業でやるようになったんだ。おまえ、昔から工作が得意だったもんな。五年生のときの担任が、おまえの工作をよく誉めてくれたよね。そうそう、あのゴジラはよくできていたよ。お父さんも覚えている。え？　もう一度、見たいって？　あれ、とってあるのかなあ。お母さんに訊いてみようか。あ、そうか。引っ越しのときにまとめて捨てちゃったんだ。ごめんよ。悪かったなあ。捨てるんじゃなかったね。〝しまった〟ね。

シーン4：友人と話していて。

知らなかったなあ。あの本、もう絶版なのね。こんなことなら古本屋に売るんじゃなかったなあ。もう読まないと思ったから。まったく、あいつが「いらない本は売れよ」なんて言うから、ついその気になっちゃったんじゃない。たしか、百円くらいにしかならなかったのよね。今売れば、千円にはなったかな。せこいかな。どっちにしても、絶版の本なら持っている価値があったのに。〝しまった〟なあ、言うこと聞くんじゃなかったなあ。

三日前の夜
あそこで領収証
捨てちゃったんですけど
知りませんか？
はぁ？

シーン５：課長と雑談していて。

〝しまった！〟。先週の領収証なんて、いらないと思ってたもんな。課長、あのときは経費が出ないかもって言うから、しぶしぶ自腹切ったのに。いまさら経費が余ったから、領収証をまわしてもいい、なんて言われたって。捨てるとき、一瞬、嫌な予感がしたんだよな。損したよ、どうしてくれる。

シーン６：寒い冬の日に。

今日は寒かったなあ。ここは北海道かっていうの。都心でも氷が溶けなかったもんな。明日の天気予報見てみよう。えー、もっと冷えこむって？　勘弁してくれよ。寒いの苦手なんだよ。そうだ、たしか学生時代のダウンジャケットがあったはずだ。いつか着るかも、と思ってしまってあったはずだよな。「おーい、古いダウンジャケットがあっただろ。どこにしまってあるの？」「あんなの、とっくに捨てたわよ。ちゃんとあなたに確認したじゃない。捨ててもいい？って」そうだった。〝しまった！〟。だから捨てるとき嫌だったんだよ。いつか着るかもって言ったら、あいつ〝いつか〟なんてこない、って断言していたよな。きたじゃないか。

◆〝しまった！〟の心理

〝しまった！〟は、それに代わるものがないモノに対して起きる心理だ。そのモノが、ほんとうに二度と手に入らず、しかも、どうしても必要なものであれば、たしかに困る。では、具体的にどういうモノが、そういう失いがたいモノなのだろうか。あなたは、すぐに思いつくだろうか。

筆者に思い当たるのは、次のようなモノだ。たとえば、結婚指輪。なくしたら困るだろう。父親の遺品で一生大事にすると決めたモノもなくしたら困る。予定がぎっしり書き込まれた手帳をなくしたら、真っ青になるかもしれない。財布は、さすがにまずい。

資料類はどうだろう。「メモや資料は（中略）破れていても古くても、重要なものがある。それを間違って捨ててしまうことによる損害は、きわめて大きい」（野口悠紀雄『「超」整理法3』）のだろうか。それがほんとうに二度と手に入らないものであれば、たしかにきわめて深刻な事態である。

しかし、これらはまず〝捨てる〟対象にはならない。〝しまった〟と思うとしたら、〝捨てた〟のではなくて〝うっかりなくした〟〝盗まれた〟ときだろう。この本で問題にしている〝これは捨てられるのでは〟と考えられるモノではない。

それでは、〝これは捨てられるのでは〟と考えて捨ててしまったモノについて、〝しまった〟と思うのはなぜだろうか。それぞれのシーンに当てはめて考えてみよう。

シーン1では、わざわざ集めた役に立つ資料を捨ててしまった。同じ資料を集めるためには、また同じ労力をかけなければならない。それに、あんなに充実したデータをまた見つけることができるかどうか自信もない。その両方が〝しまった〟と思わせる。しかし、現実には過去の資料が役に立つことは少ない。筆者のように、データを駆使する仕事をしていても、つい数か月前の資料を流用できることは少ない。その資料はそのときの仕事の観点から集めているからだ。第一、ほんとうに必要な資料は、「あの研究所のあの資料」「あの年のあの現象」などと、すぐに思いつくはずだ。思いつかないけど、資料の束を眺めればなにか役に立つデータがあるかも、と思うのは気休めに近い。

忙しい人にとって、労力が惜しいのは当然だろうが、モノそのものについてはなくても心底困るほどでもないのではないか。

シーン2の住所録は、簡単な話だ。必ず共通の友人がいるはずだから、どうしても連絡が取りたければその友人に訊けばいいし、少なくとも在籍する会社に問い合わせれば連絡先はわかるはずだ。これも労力の問題だろう。

シーン3の子どもの工作は、思い出を失った〝しまった〟だろう。思い出や記念といった〝聖域〟に関しては、第5条で述べたので詳しくは書かない。たしかに残念に違いないが、それを重んじすぎるとなにもかもをとっておかなければならなくなる。それでもいいのか、ということだ。最近、運動会や学芸会で最初から最後までビデオをまわしつづけている父兄が問題にされることがある。そうしてすべてを記録して、何が残るのだろうか。思い出とは記録されたモノそのものなのだろうか。

シーン4の絶版の本についても、個人の自由ではある。けれども、読みもしないし、それほど希少価値があるわけでもない本は、やはり捨ててしまって正解なのではないだろうか。シーン5の領収証と併せて、たしかに金銭的には〝しまった〟だろうが、とりかえしのつかない出来事ではない。その金銭だって、たかが知れている。

シーン6のダウンジャケットは、〝いつか〟がやっぱりきたじゃないか、という〝しまった〟だ。使えるかもしれないと迷って捨てたものがやはり使えた、その事実が悔しいと思わせる。ダウンジャケットそのものは、現に捨てたくらい惜しくないものだったのに、である。そして、ジャケットは、その後必要になることは二度とないかもしれない。この、たった一度のために洋服だんすや押入れを、着ないダウンジャケットで占領させておくかどうかだけのことなのだ。

◆こう考えよう

まず、〝これは捨てられるのでは〟と思えるもので、捨ててしまってほんとうに困るものはほとんどない。捨てては困るものは、捨てるはずがない。これを自分なりに納得してほしい。

そのうえで、〝しまった!〟と後悔することを恐れすぎるのはやめよう。モノに限らず、なにかを決めるときに「もし失敗したら」「もし後悔したら」と思うな、と言う方が無理ではある。それでもバシバシ判断して捨てていくと、意外に後悔などないことがわかってくるだろう。

第10条

完璧を目指さない

最後は、〝楽に考えよう〟という提案である。これまで9条にわたって述べてきたことは、一種の理想論だ。実行すればモノは捨てられるが、現に筆者でさえ何割実行できているか怪しいものだ。だから共感する考え方を、とりあえずできる範囲で、楽に実行してほしい。

◆陥りがちなモノ

日頃、心のどこかで気になっているモノに関して陥りやすい。

◆こんな場面で起きる

このままではいけない、この意見がすばらしい、と、現状改革に目覚めると、一気に突っ走りがちなものだ。

シーン1：書斎術の本を読んで。

理想だよなあ。こういう書斎。機能的で、まさに男の部屋。こういう書斎があればなあ。家にいるのも楽しくなるよな。でも、三LDKじゃ、夢だよ。なんで子どもには個室があって、俺はこんな寝室兼用の書斎コーナーなんだよ。こんな狭苦しいコーナーじゃ、書斎術も見映えがしないよなあ。本や書類だけで机まわりが山だもんな。もっと家が広ければなあ。しょうがないよ、俺にはこのごちゃごちゃしたコーナーが関の山なんだ。

シーン2：娘の家に遊びにきた母親が娘に。

しょうがないわねえ、どうして妹はあんなにきれい好きなのに、あなたはこんなに整理が悪いの。私も収納上手って言われているし、うちの家系にあなたみたいなのはいないわよ。いつ来ても、床の上までモノだらけじゃない。全部必要なんですって？　それなら、少しは片づけたらどうなの。怒らないでよ。わかりましたよ、触りませんよ。また、何がないかにがないってお母さんのせいにされちゃ、たまりませんからね。はいはい、帰りますよ。悪うございました。

シーン3：会社で帰り際に。

今日、訪ねた会社のオフィスって、広いわよね。一人一人にパソコンと大きな机が支給されていて、なんかテレビドラマのオフィスみたいだった。あれだけ机が広ければ、資料もきちんと収納できるから、すっきりしているのも当たり前よね。それにひきかえ、うちの会社。脇机さえ二人に一つなんだから。きゃっ、隣の机から資料の山が崩れてきた。ごっちゃになったらどうしてくれる。私も人のこと、言えないけどね。こうしてみると、まわりを書類の城塞に囲まれて、まんなかのスペースをかろうじて確保している感じ。あーあ、あんな素敵な机が支給されたらなあ。こんな机じゃ整理するだけ無駄だってば。

シーン4：食器棚を眺めながら。

よく見ると、使わない食器ばかりよね。この際、少し整理しようかな。いらないものは目に入ったときに捨てる、と。一気にやってしまいましょう。あー、このお皿、たった一

このお皿
婚約指輪のかわりに
彼がプレゼントして
くれたのだわ

枚残ったのよね、大切にしてきたのになあ。いや、でも、いらないんだから捨てよう。この小鉢も昔はよく使ったわね。最近はあの人もお酒を控えているから使わないけど、前はこれによく肴を入れたものだわ。肴が映えるのよね。でも、これもいらないんだから、捨てる、と。……二時間もやっているのに、まだ片側しか終わってないのお？　疲れちゃった。もうやだ。残りはまたいつかやろう。捨てるのにもエネルギーがいるのねえ。

◆〝完璧を目指す〟心理

〝収納法・整理法〟のところで〝借り物〟の危うさについて触れたように、結局は誰でも自分がやりやすいようにして生きている。無意識のうちに、自分にとって一番ラクチンな方法を採っているのである。他人の価値観に賛同したからといって、すべてそのとおりにするのは精神的にも負担だし、必死に実践しようとしてもうまくいかないだけだろう。

シーン2の娘さんを例にとると、彼女は彼女なりにモノを捨てているのである。彼女が言うように「全部必要なモノ」ばかりが、整頓されずに〝雑然〟と置かれているだけなのだ。母親はその〝雑然〟が気に入らず、母親の思う〝きちんとした住まい〟を強要する。

娘だって、きちんとするのがいいとは思っている。でも、彼女にとっては〝雑然〟が自然なあり方なのだ。母親の言いつけに従って、ゴミやいらないモノを捨てるところまでは実行できているのである。

しかし、母親は〝完璧〟を求める。だから、娘は腹を立ててケンカになるのである。

シーン1の書斎にしても、ほんとうにすっきりとした書斎にできる人なら狭いコーナーであろうと、とっくにそうしているだろう。そうしないのは、狭さのせいではなく、しないだけなのだ。それなのに〝完璧〟な書斎を横目で見て、自分の状況にうんざりしてしまい、なにも現状を変えられないのである。

シーン3の机まわりも、同様だ。広くてしゃれた〝完璧〟なオフィスをうらやむより先に、自分の机の書類を半分に減らせば話は早い。しかし筆者にも経験があるが、あまりに思い描く〝完璧〟な状態と落差がありすぎるとかえって片づける意思を失い、自棄《やけ》になってモノを積み上げていく結果になりかねない。

シーン4の食器棚の片づけは、日々やればそんなにたいへんではないのである。毎日開ける食器棚なのだから、いらない食器が目につくたびに、ちょこちょこ捨てていけばいい。それを一気に〝完璧〟に整理しようとするから疲れきるのだ。

〝完璧〟の反対語は〝中途半端〟ではなくて、〝諦め〟〝無為〟なのかもしれない。

◆こう考えよう

〝雑然〟が楽な娘さんは〝きちんと〟が楽な母親にはなりようがないのである。書斎コーナーしかないサラリーマンは、書斎術の大家ではない。個人の本棚が図書館の書庫のようになるはずはない。

どんなモノを捨て、いかにモノを持つかを考えるということは、いかに暮らすかを考えることだと述べた。そういう意味で千差万別でいいのである。

生活は、当人が自分らしくあるために気持ちよく築かれるべきだ。無理があるのはよくない。ただ、無理はよくないが、よくしようとする努力はあった方がいいかもしれない、と言っているのだ。

無理なダイエットがリバウンドを呼び、結局なんの効果もないように、無理は最後まで無理のまま。ジュースはやめるけどチョコレートはOK、食事制限は無理だけど毎日駅まで歩く、など、〝完璧〟を目指さず自分にできることから始めるダイエットは時間はかかっても成功しやすい。

モノのダイエットも、同様である。

第2章

さあ捨てよう！ テクニック10か条

第1条 見ないで捨てる

なかをあらためてから、もう一度見てから、などと思わずに、なかを見ないでそのまま捨てる。

◆このテクニックで捨てられるモノ
＊ＤＭ・チラシ広告など
＊もらったパンフレット・カタログ
＊ずっとしまったままの資料・ファイル
＊本・雑誌
＊手紙（年賀状も含む）

＊ビデオテープ・カセットテープ
＊フロッピーディスク
＊段ボールなどの容器に詰め込んだままになっている衣類や日用品など

◆それぞれのモノの捨て方

①手元にきた段階で捨てる
＊ＤＭ・チラシ広告など

郵便受けを開けて手紙類を取り出したら、あるいは新聞を開いてチラシを取り出したら、そのときが捨てどき。

あきらかに用のないＤＭやチラシでも、それに情報が載っていると思うと、ついなかをあらためたくなってしまうだろう。しかし、思い切って見ないで捨てよう。いつもなにか掘り出し物がセールになる某スーパーのチラシ、会員に送られてくるデパートのＤＭなど、もしかしたら必要な情報が載っているモノだけを抜き出して、残りは見ないで捨てるのである。

＊もらったパンフレット・カタログ

自分が取り寄せたものや商品についてきたものではなく、店頭で配られたものや郵便受けに強制的に入ってくる類のものを指す。

なんとなくしゃれた作りになっていれば、つい見たくなる。それでも、見ない。もともと用がないものなのだから、見ないで捨てる。もしかしたら欲しいモノが載っているかもしれないが、それを「うっかり見落とすのは残念」と考えず、「またいらないモノを買ってしまうところだった、見ないでよかった」と考えよう。

②ある期間がたった段階で捨てる（第4条も参照）

＊ずっとしまったままの資料・ファイル

何年間も開かない資料ファイルがほんとうに必要なのだろうか。なにか大事な情報が入っていたかも、などと思わずに、そのまま見ないで捨てよう。役に立つ資料が入っていなかったからこそ、何年間も開かなかったのである。

＊本・雑誌

買ってきたときちょっと読んで、そのまま置いてあった本や雑誌。いつか読むつもりだったのだろうが、そのままになっているのは、結局つまらなかったか関心がないかだったのだ。

読まずに並んでいるだけの本は〝聖域〟視せず、見ないで捨てよう。うち捨ててあった雑誌に気がついたら、もう一度読んでから、などと思わず、そのまま捨てよう。〝いつか〟読もうなんて思っても、どうせ読まないで終わるはずだからだ。

＊手紙（年賀状を含む）

手紙は書いてくれた人の思いがこもっていて、ついつい〝聖域〟視してしまうもの。しかも、読みなおせば思い出が湧きでてきて、捨てるに捨てられないだろう。古い手紙を読みなおすのが好きな人も、少なからずいるはずだ。

どうしてもとっておきたい人、思い出が大切な人にはあてはまらないが、なんとなくとってある人には、そのまま捨てることをお勧めしたい。「大事な人の手紙はとっておこう」「住所を控えていない人がいるかもしれない」と思い、一度あらためてから捨てよう、と置いておいても、いつまでも手紙の束が残るだけだ。たった一枚交じっているかもしれない「電話番号を控えていない人」の葉書のために、百枚の葉書をとっておく必要はないのではないか。

いつまでも状差しや箱に入れておかず、そのままごっそり捨てよう。〝しまった!〟と思うことはおそらくないはずだ。

＊ビデオテープ・カセットテープ

テレビの映画を録画したままになっているビデオ、かつて好きだった音楽が入っているカセットテープなど、何が入っているかはわかっているけど長い間観たり聴いたりしないテープ類は、どこの家庭でも溜まっているだろう。

撮ったんだから一度観てから捨てよう（＝消そう）、かつて好きだったんだから最後に聴いてから捨てよう（＝消そう）とペンディングせずに、見ないで捨てよう。そこに新しい映画や音楽を入れれば、際限なくテープの山を築くことにはならない。

〝しまった！〟あれが観たかったのに、と思う機会がもし訪れたら、レンタルビデオを借りればいい。ＣＤももちろん借りられる。

＊フロッピーディスク

ラベルの整理が悪くて何が入っているのかわからなくなったまま、ほってあるフロッピーディスク。デジタルデータだから貴重そうにみえる。確認してから捨てたい気持ちはよくわかる。しかし、ほんとうに必要なデータはきちんとラベルに書いておいたり、ハードディスクに保管してあったりするものだ。フロッピーディスクはデータの保存というよりは、人との受け渡しのために一時的に記録するために使われることが多い。

何か月も、何年も置いてあるフロッピーディスクは、見ないで捨てても大丈夫ではないか。前述のビデオテープやカセットテープでも、何が入っているのかわからなくなるケースは多々あろう。これも、同じように考えて、見ないで捨ててもいいものではないだろうか。

＊段ボールなどの容器に詰め込んだままになっている衣類や日用品など

引っ越しのとき段ボールに詰め込んだまま三年たつ日用品、いつか着るかもと思って衣装ケースにしまったまま十年たつ洋服。これらは、ほんとうに必要なモノとはいえない。すでに容器はブラックボックスと化している。きちんとあらためてから捨てようなどと考えず、一気に箱ごと捨ててしまおう。

◆このテクニックが有効な理由

このテクニックはひとえに〝見ないで〟という部分に有効性がある。

捨てるに際し、それがほんとうにいらないモノかどうかきちんと判断してから捨てたい、と思う気持ちは自然な感情だろう。しかし、きちんと整理しなおしてから、一度全部見てから、と思っているうちに、またまた時間が過ぎていき、モノは溜まりつづけるのだ。

もう一度見る作業にとりかかるには気合が必要だし、いざとりかかっても、捨てるかどうか考えながらの作業は疲れる。めんどくさくもある。

だから、ここで例示したようなモノに関しては、その手間をかけず、一気に見ないで捨てればいいのだ。そう決めれば、作業時間わずか一秒。じゃまだ、じゃまだと思っていたモノが一秒で捨てられるのは、けっこう爽快なのである。

第2条 その場で捨てる

〝とりあえず〟〝いつか〟〝仮に〟といった、捨てるまでのワンクッションを排除する。そのモノを、手に取ったその場ですぐ判断して、すぐ捨てる。

箱・容器に入ったモノは、とにかくまず開ける。開けてみないとその場で判断はできないからだ。開けずに置いておくのは、〝とりあえず〟のもっとも危険なパターンである。

◆このテクニックで捨てられるモノ

＊ＤＭ

＊請求書・明細書

＊おまけ・景品・ノベルティ・カレンダーなど

＊写真（ネガおよびプリント）
＊弁当についてくる箸、スプーン、醤油など
＊お土産・プレゼント、引き出物・お中元お歳暮、記念品など
＊ちょっと壊れた食器・出の悪いペン・先の鈍ったドライバーなど
＊新しく買い替えた家電・家具・鍋・道具類
＊商品の入っていた空き箱
＊レシート
＊仕事の書類
＊雑誌
＊残ったおかず
＊消費期限が過ぎた食品・賞味期限ぎりぎりの食品
＊冷蔵庫の中身

◆それぞれのモノの捨て方

①開けたらその場で捨てるモノ

＊ＤＭ

封筒に入ったＤＭ。好きなブランドやデパートの案内ならばいちおうチェックはしたいだろう。封筒を開けて、一通り見る。あ、感じいいものが載ってるな。いいなあ。〝とりあえずとっておこう〟。

と思わずに、その場で捨てるのである。広告で夢を見るのはけっこうだが、いいなと思った商品を買う機会はまずないだろう。

封を開けて、ほんとうに必要な情報が載っていなければ、未練なくその場で捨てよう。

＊請求書・明細書

電話会社やクレジット会社からの請求書・明細書は、支払用紙だけが入っているケースはまずない。他の案内やらチラシやらがごっそり入っている。封筒を開けて必要な用紙を取り出したら、残りはその場で捨てよう。明細も、その場でチェックしてしまう。間違っても、また封筒に戻さないようにしたい。二度手間になるだけである。

プライバシーが気になるようなら、細かく裂いて別々のごみ箱に捨てればいい。

＊おまけ・景品・ノベルティ・カレンダーなど

得した気にさせてくれるこの手のモノ。よほど気に入ったならとっておけばいいが、〝とりあえず〟とっておくくらいなら、捨ててしまおう。まず最初に、箱（袋）から出すことが大切だ。開けて中身を確認しなければ、〝開けたらその場で捨てる〟は実行できない。

ファストフードでもらった景品は、欲しそうな子どもを見つけてあげてしまう、酒屋の店頭でもらったグラスは売り子のおばさんにあげてしまう、趣味じゃないカレンダーは職場の誰かにあげてしまう、といったように、誰かにあげて（押しつけて？）しまうのも、ひとつの手である。

＊写真（ネガおよびプリント）

プリントに出してできあがってきた写真。写りが悪かったり、自分は写っていないがわざわざ写っている人にあげるまでもないような〝いらない〟写真は、その場でごみ箱行きにしよう。最初に開けて見るときが一番熱心にチェックするとき、つまり、開けたそのときが捨てどきである。ついでに、焼き増しをすることはないネガであれば、やはりその場で捨ててしまう。ネガは、あとから何が写っているかチェックしにくいので、不必要にしまっておくはめになるからだ。

＊弁当についてくる箸、スプーン、醤油など

とっておいてきちんと使っている人も多いかもしれないが、ひたすら溜めこんでいる人も多いだろう。溜めこむくらいなら、開けたその場で捨てよう。

割り箸はともかく、小さなプラスチックのスプーンなんていつ使うのか。小さなラミネートに入った醤油やカラシをわざわざ箱から取りだして夕食に使うのか。日頃を振り返ってみて、自分はどうも使わないようだと思ったら、次からはその場で捨てよう。ごみ箱行きがどうしても嫌なら、買うときに一言「いりません」と言う、という捨て方もある。

②役割が終わったらその場で捨てるモノ

＊お土産・プレゼント、引き出物・お中元お歳暮、記念品など

これらはなぜやり取りするのだろうか。モノそのものの役割ではなく、〝あげる〟行為が役割なのである。だから、相手にあげた瞬間、そのモノの役割は終わっている。

極端にいえば、受けとってしまえばそのモノはいらないモノと化すのだ。だから、受け

とってしまったら、その場で捨ててしまってもいいのである。その場に相手がいたらまずいことになるから、あとにした方がいいけれども……。

そういう姿勢で贈り物に臨んだうえで、やはり身につけたいモノ、飾りたいモノ、使いたいモノはとっておけばいい。指輪や時計などの高価なものは〝質屋に売る〟という捨て方もある。これは世のお嬢さまがたが実践されていることだから、言わずもがな、か。

＊ちょっと壊れた食器・出の悪いペン・先が鈍くなったドライバーなど

だましだまし使えば使えるものは、捨てにくい。しかし、いずれ買い替えるもの。そのときまで我慢しながら使うのと、その場で買い替えてしまうのと、なにかもったいなさに違いがあるのだろうか。

うっかりヒビを入らせたとき、出が悪いなと感じたとき、固いネジを締めて先が削れてしまったとき、そのときがそのモノの役目が終わるときである。いつまでもイライラしながら使いつづける方が精神的ロスが大きい気もするし、下手すれば新しいモノを買ったとき捨てそびれるかもしれない（次項参照）。

＊新しく買い替えた家電・家具・鍋・道具類

新しくモノを買い替えるとき、古い方が壊れたために買い替えるのならば、捨てることにためらいはないだろう。しかし、新しいモノが欲しくて買ったのならば、古い方は型式が古い、デザインが気に入らない、機能が劣る、といった程度で、モノとしては使えるまま。しかし〝とりあえず〟〝いつか〟と思ってとっておいても、場所ふさぎなだけ。粗大ゴミの回収料が惜しくて置いておいても、いずれは結局ゴミに出すはめになる。その場で捨てれば、すっきりするではないか。

捨てるつもりになっても、〝とりあえず〟どこかに置いておいて捨て忘れることもよくあることだ。粗大ゴミによく起きる。じゃまなようでも、捨てるまでは目につくところに置いておくと、捨て忘れないだろう。

＊商品の入っていた空き箱

パソコンの空き箱、いつか引っ越すときに入れるかも。ゆうパックの箱、いつか荷物を出すときに使うかも。ブランド品が入っていた箱、きれいだからなにかに使うかも。

しかし、商品を入れる役目の箱は、商品を出したら役目は終わり。引っ越しに使いたいならそのとき段ボールを調達すればいいし、きれいな箱は空気を詰めたまま押入れを占領するだけ。だいたい、ブランド品の箱をとっておくなんていじましくって……。

小さい箱はその場でつぶしてごみ箱へ、大きい段ボールはその場で小さく分解して袋詰めにし、燃えるゴミの日にすぐ出せるようにしておこう。

＊レシート

家計簿をつけている人はこの限りではないが、レシートはただ受け取るだけ、という人も多いだろう。そういう人は、レシートは受け取ったら財布に入れない。服のポケットにも入れない。その場で捨てる。スーパーなら袋に入れるテーブルの下にごみ箱があるし、コンビニは最近レシート捨てを用意している店が多くなった。喫茶店などなら、手に持って出て外にあるごみ箱に捨てよう。

＊仕事の書類

ある仕事が終わったら、それに使った書類はその場で捨てるかどうか判断しよう。〝とりあえず〟全部とっておくのはやめる。今、判断するのがめんどくさいものが、いつかならめんどくさくなくなるわけではあるまい。〝いつか〟必要になるかもしれない、と思う書類は、考え方篇の「〝いつか〟なんてこない」(第3条)「〝聖域〟を作らない」(第5条)を参照して、適宜いらないものを捨ててしまいたい。

＊雑誌

当たり前のようだが、意外に実行できないのが雑誌を読んだらその場で捨てること。自分一人が読むものなら、読み終わったら捨ててしまおう。必要なページは読みながら切ってしまうと、あとで切る手間もかからない。あとで切ろうと思っていても、何をチェックしたか忘れてしまうことも多い。ついとっておいてコレクションと化しはじめる前に処分したい。

③食品だけどその場で捨てるモノ

＊残ったおかず

こんなモノを挙げるとお叱りを受けるかもしれない。それを覚悟したうえで、残ったおかずは捨てることを考えてもいいのでは、と提案したい。

さあ
残したら
明日のお弁当のおかずに
なっちゃうわよ！

残ったおかずにラップして、冷蔵庫に入れたことで安心して腐らせた経験はないだろうか。一切れ残ったおかずをいつまでも食卓に出しておいて、ひからびさせた経験は？
　食事が終わったときに中途半端に残ったおかずは、その場で処理を考えよう。ひとまずしまうのではなく、食べてしまうか必ず翌朝食べることにする。それができないなら、もったいないけど捨ててもいいのではないか。これを繰り返せば、おかずを作りすぎないなり翌朝必ず食べるなり、残り物を捨てない習慣が嫌でも身につくと思うのだが。

＊消費期限が過ぎた食品・賞味期限ぎりぎりの食品

まだ食べられる、と思うから捨てられない。そこまでぎりぎり置いておいたものを、また置いておけば〝いつか〟食べるのだろうか。まずは、気がついたそのとき食べる。それができないなら、その場で捨てるしかないではないか。

＊冷蔵庫の中身

前項と似ているが、開けてみて気がついたそのときが勝負である。使おうと思って入れておいても使わない保存食、消費期限ぎりぎりの食品、何が入っているかわからないタッパー。とにかく手にとって、その場で食べるか、そのまま捨てるかを決めてしまおう。

◆このテクニックが有効な理由

考え方篇で述べたように、〝とりあえず〟〝仮に〟〝いつか〟は人間の自然な感情だと思う。そのワンクッションがあるから、もったいないと思いつつ捨てることができるのかもしれない。

でも、いずれ捨てるのだから、〝その場で捨てる〟と変わりないのである。〝その場で〟を実行すると、少なくともモノは溜まりにくい。あとで整理しよう、と思って溜めてあるモノは減るはずだ。夏休みの宿題のように、八月三十一日に泣くのが嫌なら、毎日少しずつやればいいのである。いや、宿題をやるよりも、楽な作業ではないだろうか。

とくに食品に関しては、ワンクッションおいて〝捨てる〟罪悪感を薄めることをやめると、「もったいないなあ」「お天道さまに申し訳ないなあ」「私ってだらしないなあ」と思いつつ捨てることになる。これが、じつは有効なのである。

買うときにちょっと考えるようになったり、ストック食品を上手に利用した料理を考えるようになってきたら、〝その場で捨てる〟を実行してきたかいがあったといえよう。

第3条

一定量を超えたら捨てる

洋服だんすや本棚のように、一定量が入る容れものを基準に、そこに入りきる量を超えたらいらないモノをピックアップして捨てる。あるいは、使い切れないくらい溜まっていくデパートの包装紙などは、自分なりに使い切れる一定量を決めて、それを超えたらいらないモノをピックアップして捨てる。

◆このテクニックで捨てられるモノ
＊洋服（洋服だんす・クローゼット）・靴（下駄箱）・食器（食器棚）・本（本棚）
＊鉛筆・ペン類（筆立て）
＊包装紙・紐・空き箱

＊弁当についてくる醤油・カラシ類
＊ミスコピー・裏紙
＊パジャマ
＊バスタオル・シーツ類
＊マグカップ
＊箸・スプーン類
＊ふきん
＊鍋・調理道具類

◆それぞれのモノの捨て方

①入れ物の容量を超えたら捨てる

＊洋服（洋服だんす・クローゼット）・靴（下駄箱）・食器（食器棚）・本（本棚）

壁や廊下、玄関などを洋服収納に使わない。とにかく洋服はここにだけしまう、と決めて、そこからはみ出しはじめたら、洋服のチェックを始めよう。ただぶら下がっているだけの服、たたんであるだけの服は〝これは捨てられるのでは〟と思って検討する。

このテクニックは、下駄箱に入りきらなくなった靴、食器棚にしまいきれなくなった食器、本棚から溢れだした本、押入れ収納から溢れだしたタオルやシーツなどにもあてはまる。いったん一定量を決めたら、簡単に量（容器）を増やさないようにしてほしい。

＊鉛筆・ペン類（筆立て）

細かいようだが、筆立ても要チェック。いつのまにかぎっちりになりがちな筆立ても、楽に出し入れできる量を超えたら、使わないモノを処分しよう。きっと出の悪いペンやもらったまま使わない万年筆があるはず。間違っても引き出しに新しくペン入れを作らない。手に取ったペンが使えなくてイライラしなくなるだけでも効果ありである。

②使い切る量を超えたら捨てる

＊包装紙・紐・空き箱

＊弁当についてくる醤油、カラシ類

きれいなラッピングの紙や空き箱、なにかに使えそうなリボンや紐。肉や油ものを切るときに下に敷いたり、爪を切るときに敷こうと思ってとってある包装紙。あれば便利だ。

でも、溜まる量と使う量に差がありすぎると増える一方。使う量はほぼ決まっているはずだから、「包装紙はこの紙袋いっぱい」「リボンはこの箱いっぱい」などと一定量を決めて、それを超えたら捨てることにしよう。

スーパーやデパートの紙袋も同様だ。市販の弁当や惣菜についてくる醤油類も、自分が使う頻度を考えたうえで冷蔵庫の扉のポケットに小さな箱でも用意して入れればいい。もし、そのための入れ物がいつもいっぱいのままなら、さらに小さい入れ物に換えていこう。

＊ミスコピー・裏紙

昔の人はチラシの裏をメモに使った。でも、今は紙が溢れてしかたがないのだから、紙を

〝聖域〟だと思わずに、捨てることを考えよう。ミスコピーは裏を使おう、などと思っても、プリント用紙やメモ用紙として使う量には限りがあるはず。自分が使う量にふさわしいファイルや書類袋などを用意して、そこに入る量を超えたらその場で捨ててしまおう。

③必要な数を超えたら捨てる

*パジャマ
*バスタオル・シーツ類
*マグカップ
*箸・スプーン類
*ふきん
*鍋・調理道具類

以上のものに限らず、一人当たりの数が決めやすいモノは、必要な数を決めてしまおう。

パジャマなら一人夏冬合わせて三着、シーツは一人二枚、バスタオルは一人二枚、それプラスお客さま用に一、二枚でいい。マグカップや箸・スプーン類は家族の人数プラス二個、ふきんは合計四枚、などまとめて考えてもいい。鍋・食器などは大・小各二個、とい

うように、サイズで個数を決めるのもいい。

個数を決めるときに注意してほしいのは、スペアをとりすぎないことである。このような日用品は数があると安心だが、必要にして充分な数は驚くほど少ないものなのだ（考え方篇第6条「持っているモノはどんどん使う」を参照）。その数を超えたら、古いものは処分する。新旧交代しながら、常にその数を維持するのである。

◆このテクニックが有効な理由

どんどん新しいものが増えるのに、今までのものが使えなくなるわけではないモノが、身のまわりにはたくさんある。それらを捨てるきっかけを作り、新旧交代をスムーズにさせるのが、このテクニックである。

「捨てられないもの」アンケートの上位にきていたモノの多くが、このテクニックで捨てられる。捨てられるか溜めておくかの分かれ目は、捨てようと思うタイミングをいかに数多く作れるかにかかっているのだ。

第4条 一定期間を過ぎたら捨てる

一か月、一年、三年、など、そのモノにふさわしい一定期間を決めて、その期間が過ぎたら捨てることにする。その一定期間は、モノが必要か不要かをふるいわけるためにある、と考える。その期間に必要な機会が訪れなければ、即、捨てる。

◆このテクニックで捨てられるモノ

＊マニュアル類

＊カタログ・パンフレット類

＊オモチャ

＊資料・ファイル

＊フロッピーディスク
＊本・雑誌
＊手紙（年賀状も含む）
＊ビデオテープ・カセットテープ
＊段ボールなどの容器に詰め込んだままになっている衣類や日用品など

◆それぞれのモノの捨て方

①それを使う期間が限られているモノ
＊マニュアル類

パソコンや車、育児、ゲームなどに関するマニュアル本の類は、差し迫った必要があって購入することが多いものだろう。いわば、そのことに関する初心者期間に必要なモノだ。

しかし、はじめは毎日のように使っていても、初心者期間が終わればほとんど開かなくなるモノでもある。ごくたまに開くとしても、確認のためだったり、懐かしさだったりして、危急の用であることは少ないのではないか。

それなら、自分にとっての初心者期間が終わったと思ったら、捨てることにしよう。いざとなったら、友人に尋ねる、図書館で読む、メーカーに問い合わせるなど、他の手段はいくらでもある。ごくまれな、〝しまった！〟と思う機会のために分厚いマニュアルをとっておくことはないのである。

育児本では、使わなくなった本を新しく子どもが生まれた人に譲ることはよくあるようだ。そういう〝捨て方〟ができればラッキーだろう。

＊カタログ・パンフレット類

掲載されているモノにもよるが、一定期間が過ぎれば情報が古くなるもの。冊子の隅に「二〇〇〇年版」「秋冬号」などと書いてあるものも多い。ずっととっておいても、眺めるぶんには楽しいかもしれないが、役には立たないだろう。

使える期間が過ぎたら、あっさり捨ててしまおう。

＊オモチャ

子どもが使うオモチャ。年齢に応じて、今まで夢中で遊んでいたモノでも少しずつ使わなくなる。子どもはいつまでもとっておきたがるし、なかなか思い切って捨てられない。

しかし、溜めつづけるわけにもいかない。
毎年、子どもの誕生日などに、子ども自身に判断させて、少しずつでも捨てていこう。第３条のように、オモチャ収納ケースなど〝一定量〟を決めるテクニックを併用するといいだろう。
オモチャの捨て方としては、知り合いのもっと小さい子にあげるのも有効だが、その子はジジババからすでにたくさんもらっていたりして、うまくリサイクルはできないものである。

②一定期間があれば判断できるモノ
＊資料・ファイル
＊フロッピーディスク

＊本・雑誌
＊手紙（年賀状も含む）
＊ビデオテープ・カセットテープ
＊段ボールなどの容器に詰め込んだままになっている衣類や日用品など
これらはすべて、第1条で取り上げたモノだ。詳しくは一二〇ページを参照していただきたい。

考え方としては、それが必要なモノならある一定期間中に見る機会が必ずあるはずだ、見なかったなら不要だとみなして捨ててしまおう、というテクニックだ。

このテクニックは一定期間をどう判断するかが難しいところ。そのために、考え方篇第3条で、〝三年使わないものはいらないもの〟という考え方を提案した。この考え方を参考に、自分なりに一定期間を割りだしてみよう。

その一定期間は、必ず合理的なものでなくてもいい。ただ、自分でそう決めればいいのである。要するに、〝捨てる〟きっかけ作りのために決めるだけなのだから。

◆このテクニックが有効な理由

これも、前条と同じように、〝捨てる〟きっかけを数多く作るために用いるテクニックだ。

使う期間が過ぎているのにいつまでもただ置いておくことを避けるために、一定期間を設ける。一定期間が過ぎたら、問答無用で捨てはじめる。〝いつか〟は結局こなかったことを、それによって確認するのである。そのうち、〝いつか〟〝とりあえず〟などと逃げずに、モノの必要不必要をてきぱき判断できるようになるかもしれない。

いったん決めた〝一定期間〟があまりに短すぎる、逆に長すぎて溜まりすぎる、と思ったら、適宜修正していくことも考えてほしい。

第5条

定期的に捨てる

一日の終わり、週末、月末、年末といった時間的な区切りで、定期的に〝これは捨てられるのでは〟とチェックする。別に、一か月ごとなど厳密な周期でなくてもいい。〝しばらく見てないな〟程度の周期でもいいから、とにかく〝これは定期的にチェックする〟と決めて、その都度いらないモノを捨てていく。

◆このテクニックで捨てられるモノ

＊領収証・宅配便の控え類
＊家計簿・手帳
＊洋服のスペアボタン

＊スペアキー
＊保証書・契約書類
＊取扱説明書
＊冷蔵庫やメモボードなどに貼ってあるメモ類
＊引き出しに入った日用雑貨・文房具類
＊ネクタイ・靴下・下着
＊洋服・本・雑誌

◆それぞれのモノの捨て方

①控えのモノ
＊領収証・宅配便の控え類
これらのモノは、商品に問題があったとき、荷物に手違いがあったとき、参照するための控えだ（たとえば、家計簿につけるため、経費として請求するためなどに使う場合は、この例ではない）。

商品を使ったら、荷物が相手に届いたら、もう用済み。財布や鞄に入れっぱなしにしな

あ、キミ
領収証
いっぱい拾って
おいたよ
もう
いりませ〜ん

いで、買い物のたび、財布を開けるたびに、捨てるようにしよう。

＊家計簿・手帳

日々の記録として使われるこれらのモノ。ほとんどが一年単位で買い替える。だが、意外に去年の記録を見る機会はあるし、記念としてもとっておきたくなるモノだろう。

そこで、買い替えるたびに前年のものはストックしておいて、一昨年のモノを捨てる。それが嫌なら、三年前のモノを捨てることにする。

こうして定期的に意識して捨てることで、一定数以上に増えなくて済むはずだ。

②スペアのモノ
＊洋服のスペアボタン
＊スペアキー
いつまでも裁縫箱や引き出しに入れっぱなしのスペアボタン。スペアキーも、どれがどのカギだったのか、わからなくなっても置いてあるものだ。

洋服を捨てたときにスペアボタンをわざわざ捨てる律義な人は、まずいまい。だから、定期的にチェックするようにする。

「なんだかスペアボタンが溜まったな」「スペアキーがじゃらじゃらしてるな」と思ったときに、チェックする。かならず、いらないモノが溜まっているのに気づくだろう。
③いらなくなっても置いたままになりやすいモノ（場所）
＊保証書・契約書類
電化製品や家具などについてくる保証書は、一年から三年程度の保証期間に設定されている。契約書も二年なり五年なりの有効期間があるはずだ。

この期間が過ぎれば無用のモノとなるはずなのだが、その都度いちいち捨てろというのは無理な話。それよりも、保証書のファイル、契約書のファイルなどを作って、どんどんしまっていく。

そして、年度末などの決まった時期でも、次に新しい保証書を入れるときでもいいから、定期的に〝捨てられるのでは〟と内容をチェックする。有効期間が過ぎたものはあきらかにいらないのだから、判断するのは楽なはずだ。

＊取扱説明書

保証書と違って有効期間がないから、なかなか捨てにくい取扱説明書。しかし、掃除機の使い方、ファンヒーターの「故障かなと思ったら」、扇風機の掃除のしかた、革ジャンのクリーニングのしかた、なんて、いつまでも必要なものなのだろうか。

トラブルシューティング的に使われるマニュアル本と、商品についてくる取扱説明書とは、使い方がかなり違うだろう。そのへんをごっちゃにしないで、その商品に慣れたなと思ったら、捨てることを考えよう。

捨て方としては、保証書類のように、置き場所を決めておく。新しい取扱説明書を置こうとするとき、全部をいったんチェックするといいだろう。

お客さま窓口・問い合わせ先の電話番号が載っているから捨てにくいと考えるあなた。電話番号を控えるのはたいへんだから、いざというときにはメーカーの代表番号に電話すればいい、と考えよう。交換のお姉さんは、必ず親切に案内してくれる。メーカーの代表番号は地域の電話帳にも載っているし、一〇四で「東京にあると思うんですが」などと訊いてもちゃんと教えてくれる。

＊冷蔵庫やメモボードなどに貼ってあるメモ類

セールのＤＭや展覧会の案内、給食の予定表や買おうと思う本の書評、支払済みの請求書や電話を受けてメモした伝言などなど、当座のクリップボードとして使われるこれらの場所。いつも、紙がヒラヒラしていて、通りかかったときに肩が触れて紙が落ちてきたり……。よく見ると、セール期間は過ぎ、二か月分の給食表があり、口頭で伝言は伝えてあったりするものだ。

これを毎週点検する、と決めるのはたいへんだから、〝ごちゃごちゃだなあ〟と思ったときや、貼りつけた紙が落ちたときなどに、チェックするようにしたらどうだろう。経験的には少なく見ても三分の一は捨てられるモノだと思うのだが。

＊引き出しに入った日用雑貨・文房具類

モノを雑然とほうり込む便利な引き出しは、一家に一つ二つあるだろう。電話台、茶だんす、食器棚などのどこかの引き出しを、爪切りやハサミ、ペン、メモ類、フィルム、磁石、眼鏡拭きといった日用雑貨をほうり込むために使っていないだろうか。職場の机なら、一番上の浅い引き出しがこの用を足しているのではないか。

そこは便利に使いつづければいいが、上から押さえつけないと閉まらなくなったら、内容をあらためよう。古いメモ、もう一年も前の領収証、インクが出ないペン、古いスナップ写真、溶けかけたアメ玉などが見つかるはずだ。

いつまでもぐいぐい押さえつけたり、開かずの引き出しになる前に、「いっぱいになったなあ」と思ったら、その都度チェックしよう。

④いらないものが混じりやすいモノ

＊ネクタイ・靴下・下着

ふちの擦り切れたネクタイや踵の薄くなった靴下、古くなった下着類は、それに気がついても捨てにくいものだ。あと一回は履けるな、などと考えてしまうからだろう。几帳面な人であれば、「洗ってから捨てよう」と考えるかもしれない。洗ったあとには、ついそのまましまってしまうというわけ。

だから、定期的にチェックする習慣を作ろう。小さなモノだから量は限られているだろうし、〝捨てる〟と決めて見てみると意外にポイポイ捨てられるのが不思議なところ。どういう周期がいいかは個人によるが、春秋の衣更えの時期あたりがよいのではないか。

＊本・雑誌・洋服

捨てられないものベスト三の本・雑誌・洋服は、とにかく捨てる機会を数多く作るのが正解だろう。〝定期的に捨てる〟と捨てやすいわけではない。が、〝定期的に捨てる〟方が捨てやすい人はそうしてください、程度の理由で、ここに入れてある。

◆このテクニックが有効な理由

〝一定量を超えたら捨てる〟〝一定期間が過ぎたら捨てる〟とは、言うは易しのテクニックでもある。これらを実行しようとして、それでもうっかり溜まるモノに対して、〝定期的に捨てる〟は有効だ。

しかし、〝定期〟の期間にどんどんモノが溜まることに変わりはない。量が溜まればチェックする手間もかかるから、どんどんめんどくさくなる。そういう点で、このテクニックがとくに有効なのは、増え方が比較的ゆるやかで、しかも新旧の出入りが定期的にあり、いらなくなったモノの判断がつきやすいモノだろう。

本・雑誌・洋服は、参考までに入れておいたが、〝定期的に捨てる〟テクニックだけで捨てようとすると、まず失敗するだろうから用心していただきたい。

第6条

使い切らなくても捨てる

〝まだ使えるから捨てられない〟という考え方を打破するためのテクニック。発想を一八〇度転換して、〝一回（これだけ）使ったんだから捨ててもいい〟と考える。

◆このテクニックで捨てられるモノ

＊洋服・本・雑誌
＊化粧品
＊薬
＊粗品のタオル
＊包装紙・紐・空き箱

＊ミスコピー・裏紙
＊弁当についてくる醤油・カラシ類
＊スパイス類
＊商品のサンプル

◆それぞれのモノの捨て方

①捨てられないモノベスト三のモノ
＊洋服・本・雑誌

捨て方は②に挙げるモノと同じなのだが、あえて特記しておこう。

これらが捨てにくいのは、「まだ着れるのに」「必要な情報が載っているかもしれないのに」「全部読んでいないのに」「いつか必要になるかもしれないのに」もったいない、からだ。アンケート結果を見ると、そんな自分の心理についてほとんど誰もが気づいてはいた。

それなのに、捨てられないのは、〝使い切っていない〟呪縛のせいである。つまり、置いておけば使い切ることができるかも、と思っているのではないか。あるいは、リサイクルという捨て方なら納得できるのは、私ではないけど誰かが〝使い切ってくれる〟安心感

からなのだ。

使い切れるかどうかではなくて、〝使い切らなくても捨てる〟ことをよしとしよう。そうすれば、「使い切ったかしら」と迷うことはなくなるはずだ。

もう一歩思い切って、「買った目的は少なくとも果たしたんだから使い切ったことにしよう」と考える方法もある。流行の服を衝動買いしたとき、一度着て楽しんだんだからそれでいい、と決める。読みかけの雑誌も、お目あての特集あるいは毎号読んでいる連載は読んで満足したんだから捨ててもいい、と思うようにするのである。

②使いきれないモノがあるのに新しいモノが増えるモノ
＊化粧品
女性だけでなく男性にとっても整髪料など、捨てられない化粧品は多いらしい。ひとつのアイシャドーをずっと使いつづける人は珍しいだろうし、自分で買わなくてももらう機会が多いモノだから、使いきれないモノが増えていく。

真ん中は底が見えているチーク、しぼりだせば何回も使えそうなジェルなどが、籠や引き出しにごっそり入っていないだろうか。

やっぱり
これも
いらないか
よくきく
CD
売るCD
さえないゴミ

使い切ろうとせずに、しばらく使っていないものはいっそ捨ててしまおう。そのために第5条の〝定期的に捨てる〟テクニックは有効だ。

＊薬

四日分出された風邪薬、一日分残して袋に入れたままになることはよくある。家にあるのに外出先でしかたなく買った頭痛薬、いろんな種類の傷薬。〝いつか〟使うことはあるかもしれないが、モノがモノだけにあまり時間がたったものは気味悪いから使いにくい。医者から出された薬は、次回も使っていいのかどうかちょっと不安。

そんなこんなで溜めてしまうより、飲みき

れなくて余った時点で捨ててしまおう。同じ種類の売薬は購入時期が近ければ同じ箱に移し替えて、さっさと消費してしまう。

＊粗品のタオル

粗品のせっけん、粗品のお茶も同様に、溜まるときには溜まってしまう。タオルは新品だから捨てにくいし、せっけんやお茶は好みじゃないけど使えるから捨てにくい。

タオル類はぞうきんとして使おう。大掃除のときまで溜めておいてもいいだろう。一回汚れたら捨てるようにすれば、掃除もはかどるしタオルも処分できる。一回使ったのだから、充分だと考えよう。

もちろん、何回も洗って使ってもいい。しかし一枚のタオルを大切に使った分、ぞうきん予備軍のタオルが溜まる一方ではどうしようもない。

せっけん、お茶は使ってみて気に入らなければ「一回試したんだから」と自分を納得させて捨ててしまおう。とっておいても、結局使う機会はこないはずだからだ。

＊包装紙・紐・空き箱

＊ミスコピー・裏紙

＊弁当についてくる醤油・カラシ類

以上のモノは第3条の〝一定量を超えたら捨てる〟で挙げたモノだ。一定量を設定するときに、〝使い切らなくても捨てる〟テクニックが反映されている。

③使い切ることが難しいモノ

＊スパイス類

いつまでも調味料入れに置いてあるスパイス類。珍しい料理を試したとき、あるいは友人に〝とっても便利〟と言われたときに買ったモノだ。ほとんど一回しか使っていなくても、日常使わないなら捨ててしまおう。

もともと、使い慣れないスパイスや外国の調味料を一瓶使い切る方が難しいのだ。かわいい瓶にまどわされず、小袋を買う方が賢いだろう。並べておくとしゃれて見えるかもしれないが、ただでさえごちゃごちゃしがちな台所なのだから。

＊商品のサンプル

香水のサンプル、シャンプーのサンプル、髭剃りのサンプルなど、街を歩いてもらう商品サンプルはいろいろある。

もらったときは得した気がしてうれしいものだが、実際使うことはあっただろうか？一回試して気に入らなければドレッサーの引き出しにほうりこんで忘れてしまうだろう。どうせもらったものなのだから、使い切ろうなどと考えずに、気に入らなければその場で捨てよう。モノによっては旅行に持っていって、使い切らなくても旅行先で捨ててくる手もある。

◆このテクニックが有効な理由

〝一回は使ったんだから〟と考え方を変えることで、多くのモノが捨てられるようになる。一回を充分と考えるか、〝これだけ〟と納得できる線を引いてみるか、そのモノ次第で使い分けながら、もったいないと迷う気持ちを思い切るためにこのテクニックを使いたい。

要は、〝使い捨て〟のテクニックなのだ。

余談ではあるが、古い洋服の切れをつなぎあわせるパッチワークは、現代ではこのテクニックに流用できそうだ。どうしても思い出があって捨てられない洋服は、思い出を残すために一部分だけ残しておけば洋服本体は処分しやすくなるのではないか。その端切れを、袋物、鍋つかみ、ベッドカバーなどを作る、アップリケに使う、など、自分の手芸能力に合わせて使ってみる。とくに、思い出が重なる子供服は、パッチワーク方式で一部分切り取って子どもの通学用品にするなど、実行している人も多いはずだ。

とくに女性限定の方法かもしれないが、一部分使ったことで〝充分使った〟感を感じられるなら、試してみていただきたい。

かといって、鍋つかみが一家に十組できても別なモノが増える結果になっただけ。どうしても捨てられない洋服限定で試してみる方法といえよう。

母親の形見の和服を財布にするなど、形を変えて小さくするのも、一種の捨て方といえよう。

第7条 〝捨てる基準〟を決める

〝いつか〟捨てよう、〝使い切ったら〟捨てよう、〝いらなくなったら〟捨てよう、といったあいまいな基準を排除する。

〝三年たったら〟捨てよう、〝一回使ったら〟捨てよう、〝新しいのを買ったら〟捨てよう、といったような明確な基準を決める。期間、回数など、なるべく感情の入る余地のない基準を作るようにしたい。

◆このテクニックの応用例

①一定量を決める
②一定期間を決める

③一定回数を決める
④新しいモノを買ったら捨てる
⑤同じモノのなかで、〝一目瞭然な基準〟を決める
⑥今までの〝捨てる基準〟を見直す

◆それぞれの応用例の捨て方

①一定量を決める

〝捨てる基準〟は量。テクニック第3条である。具体的なモノと捨て方は第3条を参照してほしい。以下も同様である。

考え方としては、あるモノについて、たんす、容器、箱などの一定量を決める。洋服が洋服だんすからはみだしはじめたら、処分を考える。

あるいは個数を決める。鍋は大・中・小の三個と決めておき、それを超えたらはみだした量だけ捨てることにする。

②一定期間を決める

テクニック第4条。一定期間が〝捨てる基準〟となる。マニュアル類など、そのモノを使う機関が限られているモノがまずあてはまる。次に、資料類など一定期間をおくことで必要か不要かを判断できるモノがある。

そのモノには、有用な〝一定期間〟があることを意識することからはじまる。

③一定回数を決める

テクニック第6条を活用する。〝使い切らなくても〟捨ててもいいと思える回数を決める。基本的には〝一回使えば〟捨ててもいい、と判断する〝基準〟が有効だ。粗品のタオル、ホテル備えつけの歯ブラシやクシ、サンプル商品、景品のTシャツなど、一回使ったことで納得する、と決めてしまおう。

④新しいモノを買ったら捨てる

〝一定量を決める〟と似た基準。新しいテレビ、新しい携帯電話、新しいパソコン、新しい書類鞄、新しいマグカップ。一つ(または従来の必要数)あれば充分だったモノは、二つあってもよぶんなだけだ。新しいモノを買ったら、古い方は〝その場で捨てる〟ことに

あなた
このまえのスタンドのかさも
捨てといてね～♡

しよう。

⑤同じモノのなかで、〝一目瞭然な基準〟を決める

洋服、食器、雑誌など、どんどん溜まっていくけど捨てられないモノの多くは、いちいち〝これは捨てる〟〝これはとっておく〟と判断するのがめんどうなもの。それなら、同じモノのなかに一目瞭然で判断できる基準を作ってしまおう。

〝この箱いっぱい〟と決めた紙袋類が〝一定量を超え〟ても捨てられないなら、ブランドの紙袋はとっておいてデパートの紙袋はすべて捨てる〝基準〟を設定する。プレゼントや景品でもらうから溜まってしかたないグラス類は、メーカーのロゴやキャラクターがついたモノはすべて捨てる〝基準〟を作り、〝その場で捨てる〟。どんどん溜まる雑誌類は、グラビアがきれいな『ナショナルジオグラフィック』以外はすべて捨てる〝基準〟にする。それ以外は〝一定期間〟が過ぎたら絶対に捨てる。

この〝基準〟は、あいまいさを廃して外見ですぐわかるものにすることが重要だ。適用するかどうか考え込むような基準なら、作らない方がまし。また、〝揃い〟〝お客さま用〟といった特別扱いの枠を作らないように注意しよう。

⑥今までの〝捨てる基準〟を見直す

誰でも、自分なりに今まで漠然と〝捨てる基準〟は持っていたはずだ。それなのに、モノが溜まってどうしようもなかったのならば、その基準は有効ではなかったのだ。だから、溜りがちなモノ、いつもなんとかしなければと気になるモノについては、自分が持っている〝捨てる基準〟を検討しなおしてみよう。

なによりも、今までなんとなくあてはめていた〝基準〟について、きちんと意識するだけでも効果があるに違いない。

◆このテクニックが有効な理由

洋服は、〝サイズが合わなくなったら〟捨てる。鍋は〝大中小一個ずつ〟しか必要ない。客布団は今までは四組置いてあったけど〝二組だけ〟で充分。机の上の書類は、〝崩れはじめたら〟捨てる。

こんな単純な〝基準〟でいいのである。捨てる基準があいまいだと判断が難しい。その、判断の難しさ・めんどくささを解消するためのテクニックである。

まだ使えるモノを捨てるときに、〝基準〟を守ると決めたんだから、と思って後ろめたさをごまかすために使ってもいい。

第8条

〝捨て場所〟をたくさん作る

〝捨てる〟＝〝ゴミにする〟とは限らない。〝捨てる〟＝〝私の身のまわりからなくす〟と考える。リサイクルショップに売る、兄弟にあげる、知らない人にあげる、別のかたちにして使ってしまう、メーカーに引き取ってもらう。これらの〝捨て場所〟がたくさんあればあるほど、あなたの生活からモノはなくしやすいはずだ。

◆このテクニックで捨てられるモノ

＊乾電池・針など
＊人形・ぬいぐるみ
＊洋服

＊本
＊高価なブランド品・装身具
＊到来物のお菓子など
＊家電
＊乾電池
＊紙ゴミになるモノ（書類、レシート、ＤＭなど）

◆それぞれのモノの捨て方

①ゴミに出せないから捨てられないモノ
＊乾電池・針など
乾電池や針などは、自治体の捨て方に従って捨てればいいものだが、捨て方がわからないと捨てられない。自治体に問い合わせて捨て方を聞くのが一番だが、捨て方がわかっても、月に二回では溜まってしかたがない。

電池は地域の図書館、公民館、大型店鋪などの回収している場所をチェックしておこう。店でカメラやウォークマンの電池を買ったとき、その場で入れ換えると古い方を引き取って捨ててくれることも多い。

＊人形・ぬいぐるみ

アンケートでも「目があるから」「呪いがきそうで」捨てられない、と言っている人がけっこういたのに驚いた。ゴミに出すのがどうしても嫌なら、人形を供養してくれる寺などの施設があるから、そこに持っていこう。ペットの供養をしてくれるところなら、人形を処理してくれることも多い。電話帳の「ペット霊園」で探せばすぐわかる。ただし、数千円の費用はかかると思っていた方がいいだろう。

②もったいないから捨てられないモノ

＊洋服

＊本

＊高価なブランド品・装身具

これらの捨て方として、一番ありがたいのはリサイクルだろう。リサイクルショップ、質屋、古本屋、市役所や公民館などの掲示板、『じゃマール』などの専門誌や地域の広報

やっぱり
あのざるセット
ダメかしら
会社のみんなに
あげるもの
他にある？
ざるざ

誌の「譲ってください・譲ります」など、さまざまな〝捨て方〟がある。それであなたが納得するなら、リサイクルすればいいだろう。

＊到来物のお菓子など

もらいもののお菓子、保存食、田舎から送ってきた果物の箱詰など、家に置いておいても腐らせるだけなら、せっせと配ってしまおう。勤めている人なら会社で配るのがベスト。箱詰の乾物や果物でも、会社の給湯室にでも置いておけば、喜んで持っていってくれる人がいるものだ。タオル類、カップ類も会社に寄付してしまおう。

親しい人が遊びに来たら、〝おみやげ〟と言って渡してしまうのもいい。ジャム、紅茶、チョコレートなどの食品なら、ほとんどの人が喜んで持っていってくれる。

③環境を考えて捨てられないモノ

＊家電

家電はリサイクルが義務づけられて（一九九八年「家電リサイクル法」、対象は冷蔵庫、エアコン、テレビ、洗濯機）、いかにもゴミにするのはいけないことのように思われている。しかし、その費用が捨てるときに捨てる人（消費者）に課せられることをご存知だろうか。新しい冷蔵庫を買っても、古い方を引き取ってもらうには費用がかかるのだ。そうやって引き取られた家電がどうリサイクルされているかというと、はなはだこころもとない。それなら、粗大ゴミの回収料金を自治体に払って、さっさと持っていってもらった方がいい。

もちろん、前述の②「もったいないから捨てられないモノ」の方式をあてはめるのもいい。親戚が一人暮らしを始めるなどと聞いたら、即「テレビいらない？」などと訊けば、かえってありがたがられるだろう。

④捨て場所がないから捨てられないモノ

＊乾電池
＊紙ゴミになるモノ（書類、レシート、DMなど）

手にとったそのとき、もういらないと思っても、手近にごみ箱がなくてそのまま引き出しにほうり込んだりまたしまったりしたことがないだろうか。あまりに単純なテクニックだと思われるかもしれないが、ごみ箱を増やせば捨てられるモノは増えるのである。

つまり、〝その場で捨てる〟を実行するための補助的テクニックなのだ。少なくとも、各部屋にひとつ燃えるゴミのためのごみ箱を用意しよう。乾電池なども専用の箱ひとつ用意するだけで、引き出しにゴロゴロさせることもなくなるだろう。

◆このテクニックが有効な理由

なるべく心の負担も実際の手間もかからない〝捨て方〟を選んで、少しでもモノを〝捨て〟やすくしようとするテクニック。リサイクルという捨て方なら、モノがもったいなくて捨てられない人でも格段に〝捨て〟やすくなるはずだ。

ただ、はっきりいって、あなたがゴミにできなかったものを、誰かが代わりにゴミにしてくれるにすぎないことも多い。それでも、あなたが〝捨て〟やすければよしとしよう。

第9条 小さなところから始めてみる

食卓の上、台所の棚、洗面台まわりなど、どこでもいいから比較的コンパクトな場所を選んで、ここだけはモノを絶対に置かない、と決める。そしてそれを実行する。

◆このテクニックの応用例（場所）

①〝ここだけはモノを置かない場所〟を作る
②〝ここだけはいらないモノをしまっておかない場所〟を作る
③〝ここならすぐ片づけられる場所〟から始める

◆それぞれの応用例の捨て方

①〝ここだけはモノを置かない場所〟を作る

*食卓の上
*たんすの上
*冷蔵庫の上
*洗面台
*机の上
*下駄箱の上

食卓を例に話そう。食卓は使っていないときはなにも置いてないはずの場所である。食卓は〝食事をする〟ためにあるので、モノを置くための場所ではないからだ。

しかし、食卓になにも置いていない家などあるのだろうか。調味料、茶筒、残ったおかず、新聞、DM、時計、薬の袋、家族の写真、花瓶、お菓子の袋、なぜか子どものオモチャ……etc.。食事のたびにそれらは隅に寄せられ、決して片づけられない。

まず、〝食卓の上だけはいらないモノを絶対に置かない〟と決めてみよう。他の場所はモノで溢れていても、とにかく食卓〝だけ〟はモノを置かないのである。

調味料は調味料の棚に戻す、新聞は夜になったら新聞ラックにしまう、ＤＭやチラシはいるものは冷蔵庫に貼りいらないものは捨てる、お菓子の袋はそのつど箱にしまう、飲みきらないで置いてあった薬の袋は捨てる、固くなっても置いてあったパンは捨てる。

狭い食卓の上だ、作業としては簡単だ。しかし、日々のささやかな努力は求められる。

その結果、モノを常に選別し、いるものは片づけいらないものは捨てる作業が、どのように繰り返されているかがはっきりわかってくる。いわば〝捨て方が身につく〟のだ。

そのうえ、すっきりした食卓の上は気持ちいいし、達成感も得られるだろう。

②〝ここだけはいらないモノをしまっておかない場所〟を作る
＊特定の引き出し
ハンカチ入れ、タオル入れ、洗剤やシャンプーをしまう棚、調味料棚、机の一番上の引き出し、どこでもいい。とにかく、どこか小さな収納スペースを、〝この引き出しだけは絶対にいらないものをしまっておかない〟と決める。

あとは、①の食卓の応用例と同じだ。文房具用の引き出しになにげなく会議のファイルをほうりこもうとしたとき、その手を止めよう。請求書の控えをとっておくつもりで電卓の下に隠すのはやめよう。フロッピーが箱に入りきらなくなったからといって、引き出しに押し込むのもやめよう。

安易に引き出しにモノをほうり込むのをやめることで、〝その場で捨てる〟習慣がまず身につくだろう。

③〝ここならすぐ片づけられる場所〟から始める

＊タオル入れ
＊化粧品入れ
＊玄関のクローゼット

家全体から取りかかるのは大変だから、コンパクトな場所で、収納されているモノも整理しやすい場所を選んで、そこから始める。

タオル入れの例でいえば、必要な枚数のタオルをまず考え（第3条を参照）、それを超えたタオルは取り出して処分の仕方をその場で決める。粗品のタオルや、そこにしまうべきではないシーツやトイレタリーが入っていたら、それも取り出して処分を決める。

底の方から使い捨てカイロや電池、靴下の片割れなどがでてくることもあるだろう。それらを片づけつつ、いかにいらないモノが入っていたかを実感しよう。

コンパクトな場所で慣らし運転をしたら、少しずつ範囲を広げていけばいい。

◆このテクニックが有効な理由

いきなり今までの習慣を変えるのは、かなりしんどいことだ。〝捨てる〟作業は、単なる整理整頓的作業であると同時に、モノに対する接し方の問題でもあるのだから。〝さあ、捨てるための技術を実行しましょう〟といっても、目の前にある膨大なモノの量に圧倒されてしまうだけだろう。

その困難を乗り越えるために、このテクニックが有効だ。大きな仕事からとりかかるのではなく、小さな仕事を片づけていこう、という手法である。

まず、①の〝ここだけはいらないモノを置かない場所を作る〟テクニックから始めることをお勧めしたい。見える場所から始めることで、効果が実感しやすいからである。

いかにいらないモノが身のまわりにあるか、いかに日々増えていくか、を実感できることがテクニック第9条の有効性その一である。いやになるほど実感すれば、いらないモノをなんとかしたいと思うだろう。

そして、モノを処分する作業を実際にやって、モノを減らす習慣・癖をつけることがテクニック第9条の有効性その二である。いらないモノを手にしてもまた元に戻す習慣から、いらないモノを手にしたら〝捨てる〟習慣に変えてしまうのだ。コンパクトな場所にする必要はここにある。作業が楽でないと、すぐに嫌になってしまうからだ。

このテクニックの有効性に気づいて、〝捨てるための技術〟を生活全般に応用しようと思えたら、テクニック第9条の有効性その三が達成されたことになる。

第10条 誰が捨てるか、役割分担を決める

複数の人数が暮らす場で応用する。

家庭であれば、郵便物と新聞類は夫、衣類と食品、子ども関係のモノは妻、などとはっきり〝責任者〟を決めてしまう。モノではなく場所で分担してもいい。職場でも、個人の机以外は〝責任者〟を決めてしまう。

◆このテクニックの応用例

①モノのジャンルで〝役割分担〟する

②場所で〝役割分担〟する

◆それぞれの応用例の捨て方

①モノのジャンルで〝役割分担〟する

＊新聞・チラシ・雑誌

＊郵便物（請求書・ＤＭ・広告・カタログなど）

＊本

新聞は夫が捨てる、と決めたら、問答無用で夫が捨てろ、という捨て方ではない。いらない新聞がいつまでもおいてあるとき、それを夫が責任を持って〝捨てる〟という考え方だ。

たとえば、居間の床の上に落ちて？いる新聞。〝役割分担〟ができていない夫婦なら、お互いにどちらかが読むつもりでいるのかと思ったり、〝まったく、読んだら捨てろよ〟などと腹を立てたりするだけのはずだ。最悪、目にも入らないだろう。そして、新聞はさらに何日もそこに置いておかれる。

その放置状況を〝役割分担〟で打破するのである。夫は新聞が目に入ったら、〝これは捨てられるのでは〟と考えるようにする。チェックして昨日の日付だったら、妻に「これもう読んだ？」と訊く。読んでいれば〝その場で捨てる〟。読んでいなければ、「読むのか？　読まないなら捨てるよ。読むなら、読んだあと片づけておいてよ」と処分を決める。

もちろん、妻はいっさい口を出さない、と決めない方がいい。妻も気づいたら夫に「捨ててもいい？」と訊く。夫にまかせきりだと、妻が新聞に関して無責任になるだけだからだ。ただ、〝責任者〟が夫であることを決めておくのである。

とくに有効なモノについて具体的に挙げたが、これ以外の洋服、靴、靴下、日用品の多くは妻が一括して〝捨てる役割〟を担っている場合が多いだろう。できれば、一部分でも妻と夫で分担したらどうだろう。以下の②にもつながることだが、〝家のなか〟という場所すべてが妻の役割では、あまりに負担が大きすぎるというものではないか。

一方、職場は大人数がいる場所だから、このテクニックがますます効力を発揮する。

たとえば、雑誌について。週刊誌はAさん、それ以外はBさんの責任、と〝役割分担〟する。週刊誌は二週間で捨てる、といったルールを作るのもAさんの役割だ。最後にその雑誌をもらいたい人がいれば、Aさんに伝えておく。Aさんあての付箋を雑誌につけておいてもいい。二週間がすぎて、誰かの机の上にほってある（会社の）週刊誌を見つけたら、それをその場で捨てるのもAさんの役割にするのである。

おーい!
テレビのよこに
ある雑誌
捨てていいのかなぁ?

②場所で〝役割分担〟する
＊食卓の上
＊洗面所
＊玄関
＊居間のテーブルの上
＊階段

先に例を挙げた食卓でいえば、たとえば夫がその役割につくとしよう（第9条参照）。夫は食卓を見るたびに、〝これは捨てられるのでは〟と考える。いったん開けた妻あての明細書、子どもの学校からのプリント、今朝の新聞チラシなど、目に入ったら「これ捨ててもいい？」と訊く。

〝とりあえず〟〝仮に〟置いてあるモノが、これで捨てられていくはずである。

居間、台所などは、場所ではなくモノのジャンルで役割分担することをお勧めしたい。家のなか全体を妻がやる、というのと同じように、負担が大きすぎて相手に対する怒りが溜まり、ケンカの種が増える恐れ大だからだ。

◆このテクニックが有効な理由

誰かが片づけるだろう、と誰もが思っていつまでも置いておかれるモノから逃れるためのテクニック。判断するのも片づける作業をするのも、めんどうなことだから、誰かがやってくれるならそれにこしたことはない。でも、お互いに〝誰かが〟と思っていたらモノは捨てられないのである。

アンケートの回答からも、このへんのジレンマが数多く挙げられていた。

「今は彼氏と二人なので、私には必要ないものが彼の必要な物だったり、その逆だったりする」(二十四歳女性)「明細書など、一人暮らしでなくなったため、勝手に捨てられない」(二十代女性)など、人の物は勝手に捨てられないと思い込んでいるからモノが増えるケース。その逆に、「結婚して二人で生活するとモノが二倍に増えていく。人のものは捨てられるのに、自分のものは捨てられない」(四十歳女性)のように、人のモノは気楽に捨てられるのに、というケース（結婚当時の筆者もそうだ）。

どちらのケースにもこのテクニックは有効に働く。前者に関しては「捨ててもいい？」と訊く権利を得る、後者に関しては〝人の物と同じように自分のものも捨てなければ〟と思うきっかけを与える、というように働くだろう。家庭では、雑誌や洋服など所有者が決まっているモノでも、場所で役割分担すれば、少なくとも「私のものなんだから干渉しないで！」という争いは避けられるだろう。

ひとつだけ、平和な生活を維持するために大切な用心をお伝えしておきたい。〝小姑のようにならないこと〟である。

第3章　より気持ちよく〝捨てる〟ための捨て方

◆ゴミに出す前にできること

この章では、より抵抗感なく、より気楽に、より安心して捨てるための捨て方情報を取り上げたい。

前章までは、とにかく〝捨てる〟と断言してきた。捨て方として、ゴミに出す、リサイクルする、売る、などのさまざまな方法を例示してきたように、どんな捨て方を使ってでも〝捨てる〟＝〝身のまわりからなくす〟ことが先決であるとして、〝捨てる〟ための考え方や技術を提案してきたつもりだ。テクニック第8条で述べたように、ゴミに出す〝捨て方〟とリサイクルする〝捨て方〟では、自分の身のまわりからなくすという意味では同じだという基本姿勢であった。

しかし、そうはいっても、〝もったいないな〟〝誰か使ってくれないかな〟と思いながらゴミにするのはつらい。モノも、かわいそうだ。だから、ここではまず、〝ゴミに出す〟ことは最強にして最終的な処分の仕方だととらえてみたい。

私たちの暮らしのなかにあるモノは、どんなモノでもゴミに出せば処分できる。たとえお金がかかるにせよ、ゴミにすることに抵抗さえなくせば、モノを捨てるのはラクチンだ。けれども、ゴミに出す前に、より気持ちよく身のまわりからなくす方法もいくらでもある。

とくに捨てにくいモノに関して、また、有効な情報が求められているモノに関して、誰にでも実行できそうな方法を探してみた。また、同じゴミに出すにしても、より気楽に出せそうな情報も集めてみた。そのなかのいくつかでも参考にしていただき、少しでも楽にモノが〝捨て〟られることを願っている。

◆どんな情報を知りたいのか

最初に、一般的にどんな〝捨て方〟情報が求められているのかを検討しておこう。

プロローグで解説した「捨てられないもののアンケート」で、最後に「〝捨てる〟ことについて知りたい情報は？」と訊いておいた。その結果、二割強（二十八人）の人が〝リサイクル情報〟を求めていると答えてくれた。リサイクル情報全般から、個別の、リサイクルされているモノ、リサイクルショップ・フリーマーケット情報、リサイクルがうまくいく方法の情報などまで、範囲が広かったが、結局は、リサイクルできるモノはリサイクルにまわすことで処分したい、と思っている人が多いようだった。

また、〝ゴミの捨て方〟を知りたいと思っている人が十人いた。具体的には、分別のしかた、無料で持っていってくれるところ、個人情報の捨て方などである。

一方で、〝収納法・整理法〟を知りたいと思っている人が八人。そうすれば、スペースが広くなるかも、すっきりするかも、と期待するらしい。だが、この方たちには申し訳ないが、考え方第7条「収納法・整理法で解決しようとしない」を読んで考えをあらためていただきたいと思う。

◆本の気持ちいい〝捨て方〟

現在、情報は手に入れる方法や所有のしかたが従来の方法から急速に変化している。情報は所有よりも使い方に価値がおかれるようになっているのに、情報を〝もったいない〟と感じる感性はまだ残ったままだ。

じつは、そのもっともよい例が本なのである。本をモノとして愛でたりコレクションする感性は別として、本に載っている情報を必要以上に重要視することは、もうやめよう。もちろん、本に載っている情報とは小説も画像も含んでいる。

これらの情報は必要ならばたいてい再び手に入れられると思っていていい。だから、〝いつか必要なときがくるかも〟と思って捨てられない本は、〝しまった!〟を恐れず捨ててもいいのである。また、単にもったいないから捨てられない人は、従来の古本屋以外にも有効な引き取り先ができているから試してみてほしい。

以下では順序からいってまず〝捨て方〟、それから〝しまった！〟と思ったときの探し方を紹介しよう。

◆本を〝捨てる〟、五つの方法

①新しい中古本ショップに売る

最近、急成長している本のリサイクルショップ。「ＢＯＯＫ　ＯＦＦ」「ブックマーケット」など、目にしたことも多いだろう。

本やＣＤを一般の人から買い取り、それを販売するいわゆる古本屋なのだが、まるで新刊書店のようだ。置かれている本が新しく外見もきれいだということもあるし、店内がコンビニのように明るく清潔だということもある。よほどの本好きでないと利用しにくいイメージがあった従来の古本屋とはずいぶん違う。

古書として価値のある本、現在手に入らない本ではなく、いま流通している本がリサイクルされて新刊同様にまた市場に流れていくのだから、私たちにとっては、新刊書店と同じといっていい。以下で、「ＢＯＯＫ　ＯＦＦ」への本の売り方を説明しよう。

《売れるもの》きれいな状態の単行本、文庫、新書、マンガ単行本。表紙がとれていたり、破れていたり、かなり汚れているものは値がつかない。雑誌類は基本的に引き取らない。

《売り方》直接持ち込む。全国に四百五十七店舗（二〇〇〇年二月時点）あるので、探せば近所にある可能性も高い。近所になければ、百冊以上であれば引き取りに来てもらうか「宅本便」（送料無料）で送ることもできる。その場合はフリーダイヤル〇一二〇・三七・二九〇二に電話して申し込む。

《注意点》きれいな状態であることが前提。持ち込んだ本のなかに「値がつかない」本が混じっていてもまとめて引き取ってくれるが、「ただでもいいから引き取ってもらう」ことを目的に持ち込むのは、迷惑になるから控えるべき。ＢＯＯＫ　ＯＦＦで「売れない」と判断された本は、業者にお金を払って処分してもらうそうなので、個々人でゴミに出すのと結局同じことになる。

②インターネット本屋に売る

インターネットで「古本屋」「古本」「古書」などのキーワードで検索すると、ネット上の古本屋が多数見つかるはずだ。個人で開設しているものも多いし、街の古書店がネット上でも展開しているものも多い。

《探し方》売っている本のラインナップを見て、自分が処分したい本と傾向が似ている古本屋があったら、そこに問い合わせてみよう。

《買い取りの確認》ネット上で受け付けてくれるかどうかを確認しよう。大きな書店連合がやっているサイトでは、買い取りはしていないケースもある。個人でやっているところの方が、個別に買い取り対応をしてくれることが多いだろう。

③自分でネット古本屋を開設する

本が好きで時間もある人ならば、自分でネット古本屋を開設し、売ってしまう手もある。ホームページを開設して、そこに「本を売ります・譲ります」のコーナーを作ればいいだけだ。ただ、手持ちの本には限りがあるだろうし、自分のホームページの一コーナーではアクセス件数も期待できない。それなら思い切って売買できる古本屋を目指してみよう。買い取りした本のなかに探していた本がある可能性も捨てられない。

開設するのはごく簡単。実際に個人でやっているKさんによれば、「パソコンオンチでも、性格がずぼらでも、自分の本棚の管理が悪い人でも、誰にでもできる。自分も無理かなど思っていたが、やってみたら商売だから信用をなくすようなことは自然としないものだった」とのこと。ただやはり金銭がからむことなので、向き不向きは冷静に判断してほしい。

《免許を取る》本の買い取りをする場合、警察署の防犯課から古書籍を扱える古物商の免許を受ける必要がある。盗品などを売りに来る人がいるから、相手の身元確認をする義務があるからだ。免許取得のためには、警察に行って申請用紙に記入して提出するだけでいい。前科がなく禁治産者でなければ、ほぼ誰でも免許が交付される。

《ネット上に本屋を開く》次にホームページを立ち上げなければならない。「ホームページビルダー」などのツールを使えば、思ったより簡単に作れるものだ。在庫の本のリストや「買い取ります」のコーナーなど自由に書店づくりをすればいい。ホームページができたら、「Ｙａｈｏｏ!」などの検索エンジンに登録する。ホームページの作り方は参考書がたくさん出ているし、ネット古本屋の作り方のマニュアルも出ているので、詳しくはそちらを参照してほしい。

《トラブル》先のＫさんによれば、本屋をはじめて五か月間トラブルはまったくないそうだ。また、ふつうの本屋は万引きがつきもので売り上げの五％を超えたらつぶれると言われるが、ネット上では不払いは一％未満とのこと。その点でも今のところ安心だ。ただし、商売としてやるにはそれなりの覚悟がいるから、本を処分したい程度であれば趣味にとどめておいた方がいいだろう。

④オークション・フリーマーケットに出す

ネット上のオークションは、現在ひじょうに注目されている。参加している人数も急増している。誰でも簡単に参加できるので、やってみる価値はある。自分が大切にしてきた本が、けっこう高値で引き取っていかれれば嬉しいし、買い手がまったくつかなければゴミにするあきらめもつくというもの（詳しい参加のしかたは、二一四ページを参照）。

⑤従来の方法

参考までに、従来からの方法も書いておこう。

《図書館に寄贈する》市や区の図書館には、寄贈を受けつけてくれるところが多い。ただし、図書館によって事前にリストを提出して指定した本だけを持参してもらう、一括して受け付けて図書館で分別する、など、方法が違うので、まず電話して確認しておこう。いきなり持ち込むと相手も迷惑するし、重い本をまた持ち帰るはめになることもある。

図書館によっては、不要な本をリサイクルフェアなどで市民に提供するところもある。

《街の古本屋に売る》古典的なやり方だが、本好きならばいまだに魅力ある方法といえる。持っていった本と書店が欲しい本が一致したときの充実感は、換えがたいものだ。神田古書街もいいが地元をじっくり探せば、自分の趣味と合う本が並んでいる古本屋があるかもしれない。本を買い取ってくれる店は、店頭に「本買い取ります」などと出ていることが多いのですぐわかるし、店主がいればその場で値をつけてくれるはずだ。

◆本の価値

素人には判断しにくい本の買い取り値。気持ちよく引き取ってもらうためにも、少しは知識があった方がいい。筆者がたまに利用する古書店、下北沢（東京都世田谷区）G舎の店主の話を紹介しよう。雑本も多い本の持ち込みなのに、いつも納得できる買い取りをしてくれる「古書店の鑑」のような店だといつも感心していたが、このような問い合わせにも誠実に対応していただけた。

＊不要な本は早めに持ってきた方がいい。復刻されたり文庫になったりするし、汚れもつ

くしで値が下がる。

＊文芸書……文庫になる前の方がいい。文庫になってしまうとほとんど値がつかない。

＊初版本……三島由紀夫、夏目漱石レベルなら話は違うが、現代作家の初版本はあまり価値がない。二刷以降と価格に差がないと思っていていい。

＊全集もの……全集は揃いが基本。揃いでないと値はつかない。

＊値がつかなかった本はどうなるのか……百円均一コーナーに置かれたり、まったく売れない本・価値のない本はそのまま廃棄されたりする。価値のあるものが混じっていないか心配なら持ってきてもらってもいいが、雑本はできれば自宅で処分してもらった方がいい。

◆マンガの場合

新・中古本屋はコミックもメインに扱っている。有名どころで「まんだらけ」というマンガ専門古本屋があるのを、ご存知の方も多いだろう。参考までに「まんだらけ」の買い取り方を載せておく。

《売り方》持参するか、宅配便で送る。宅配便は事前に連絡する必要はない。

《売れるもの》マンガ全般。在庫が多いものや汚れたものは値がつかない。『ガロ』『CO

M』などマニアックなマンガ雑誌は買い取ってくれるが、『ビッグコミックスピリッツ』などの週刊誌は発売当日か創刊時のものでないと買い取ってくれない。

《値がつかなかったもの》頼めば引き取ってくれて、まとめて処分してくれる。ここでも、処分を目的に持ち込むのはマナー違反だから気をつけよう。

◆本の探し方

本が捨てられない大きな理由は、〝いつか〟必要になるかもしれないからだ。欲しい情報としても「捨てた本の探し方を教えてほしい」という意見があった。

これこそ、インターネット時代の恩恵。ピンポイント的にモノを探すとき、インターネットは強力な味方となってくれる。インターネットというメディアじたいが、広範にモノを探すよりもピンポイント的に深く狭くモノを探すのに適しているのだ。

新刊書店ではどうしても見つからなかった「あの本」を探したい場合、たとえ自分がパソコンを持っていなくても、つてを頼ってインターネットを利用することをお勧めしたい。

①インターネットの「探求本」を使う

ネット上の古本屋では、在庫の検索機能が充実しているし「探求本」コーナーを開設しているところが多い。そこにほしい本を入力しておけば、見つかった時点で返答がもらえるしくみだ。もちろん、個人のネット古本屋でも店主が情熱を込めて探してくれる。コメントを記入できる場合は、ただ「少しでも安く」「なるべく早く」と書くよりも、「子どもの頃の思い出の本です」「学生なのでお金がないからなんとか安くしてください」などと店主の心に訴えると効果があるようだ。

数多くあるサイトのなかから、大きなものを以下に挙げておいた。手順に従えば簡単な操作なので、パソコンが苦手な人でも試してみる価値はある。

＊日本の古本屋（http://www.kosho.or.jp）
＊インターネット古書店案内（http://kbic.ardour.co.jp/~newgenji/oldbook/）
＊本の街神田（http://www.book-kanda.or.jp）
＊古本屋さんに行こうよ（http://www.furuhon.org/）

②国会図書館を使う

本を手元に取り戻したいわけではなく、内容をもう一度見たいだけなら、国会図書館を使ってもいいだろう。もちろん、地域の図書館を使ってもいいが、探している本がない確率も高い。その点、国会図書館には、日本で刊行されているあらゆる出版物がある（はずだ）。出版社は自社の出版物を国会図書館に一部納入するように法律で決まっているからだが、任意なので納めていない場合もありうるという。電話で書名を伝えれば、所蔵してあるかどうか教えてくれるから、事前に確認しておきたい人はまず訊いてみよう。

《利用のきまり》

利用できる人＝二十歳以上の人であれば誰でも（二十歳以上だと証明できるものが必要）。

開館日＝土日祭日以外（第一・三土曜日は開館、代わりに翌週の月曜日が休館）。

開館時間＝九：三〇〜五：〇〇。

その他＝館外への貸出しはしていない。複写はとれる（有料）。

◆洋服の気持ちいい〝捨て方〟

洋服はリサイクルショップやフリーマーケットに出している人も多いだろう。高価なブランドものを多く扱っているリサイクルショップも多い。そういう情報はテレビや雑誌でも氾濫しているし、地域をちょっと探せばいくらでも見つかるはずだ。

だからここでは、まとめて処分したい人、お金はいらないがゴミにするのは嫌な人のために、寄贈できる機関を紹介しよう。

①救世軍

救世軍（救世軍男子社会奉仕センター）とは、東京都杉並区にある「アルコール依存の方の社会復帰のための更正施設」である。ここでは、家庭で不要になったものを引き取って展示場で販売し、その利益をアルコール依存の方を対象とした作業所や他の社会事業・福祉施設の運営など活動費用に充てている。

《引き取ってもらえるもの》洋服に限らず、さまざまな日用品、家具、家電、装飾品などを受け付けている。まず、電話してどんなモノを寄付したいのかを相談しよう。引き取れないものもあるので、必ず電話（〇三・三三八四・三七六九）してほしい。

《持ち込み方》電話したうえで、引き取ってもらえるものは直接持ち込むか宅配便で送ればいい。大型家電や家具は、場所を取るし日常的に売れるものではないので、いったん見てもらったうえで引き取ってもらうことになる。東京の、区部の西側か市部の東側に住んでいれば、係の人が無料で引き取りに来てくれる場合もある。

《販売》杉並区にある展示場で毎週土曜日九：〇〇〜一一：〇〇まで、引き取ったものを販売している。杉並在住でよく利用する人の話によれば、きれいでいいものが置いてあるとのこと。

《注意点》販売するために不要なものを引き取っているので、寄贈するときは「自分がお金を払ってでも使う気になるモノをお願いします」とのこと。自宅でじゃまになったから、ゴミに出せば有料だけど救世軍なら無料だから、などの理由で引き取りをお願いすることだけはやめよう。

②日本救援衣料センター

衣料を集めて開発途上国（アジア、アフリカなど）に送る団体。神戸市にある。

《引き取ってもらえるもの》カジュアルな動きやすい日常着、毛布。下着、タオル、シーツは新品のみ受け付けている。扱わないものは、スーツ、スカート、ワンピース、和服、布団など。

《持ち込み方》左記の宛先に段ボールなどに詰めて送る。事前連絡は必要ない。

〒六五八―〇〇二三　兵庫県神戸市東灘区深江浜町二二―二

日本救援衣料センター

電話＝〇七八・四四一・二六四一

《寄付》相手に送る費用などのために、段ボール一箱あたり千五百円の寄付が必要。荷物がセンターに届いた時点で、礼状とともに郵便振替用紙が送られてくる。

《注意点》洗濯済みで、シミ、汚れのないものを送ること。汚れのひどいものはそのまま廃棄処分される。センターの手間を少しでも省くためにもきちんとしたものを送りたい。

◆電化製品の気持ちいい〝捨て方〟

①家電製品

リサイクルショップで家電製品が売れるのは、買ってから三〜五年以内だと思っていていいようだ。いくつかのリサイクルショップで尋ねたところ、基本はきちんと使えるものであること。電話機は子機の充電池が古くなるのでせいぜい二年、冷蔵庫や洗濯機も家庭で使っていたものなら三年くらい、独身者で使う頻度が少なかったものでも五年以内、テレビは映ればいいがやはり五年以内くらいの新しいものがいいらしい。クーラーの引き取りは、取り外し取り付けに費用がかかるので難しいとのこと。

売る際には、操作が簡単な冷蔵庫や洗濯機くらいなら取扱説明書がなくてもOK。操作が複雑なテレビや電話機、ステレオなどは説明書がないと値が下がるようだ。

五年以上使って買い替えた家電製品は購入店で引き取ってもらうか、市役所などの「譲ります」コーナーに出す程度がいいだろう。

②パソコン

急速に普及してきたパソコン。そろそろ二台めを、と思っている人も多いだろう。パソコンは粗大ゴミとして収集されるが、高価なものだったし愛着もあれば簡単には捨て難い。誰か使ってくれないかなと思うだろう。

パソコンやその周辺機器は、インターネット上で個人間売買がさかんに行われている。欲しい人と売りたい人が一致すれば、けっこう高値で取り引きされることもあるらしいから、フリーマーケットなりオークションなりに出せばいい。しかし、詳しい人は詳しい世界だから、初心者は中古パソコンを引き取ってくれるショップに直接売りに行く方が安心かもしれない。東京なら秋葉原周辺に中古パソコンショップがいくつかある。パソコン雑誌を見れば載っているから、まずは電話して売りたいパソコンの型番を伝えよう。ゼロ円から数十万円まで幅広い値がつくので、きちんと型番、状態（大きな傷、動作の安定性、箱や説明書などの付属品が揃っているか、ハードディスクなどを増設してあるか）を説明して査定してもらおう。

＊念のために

パソコンを捨てるときに個人情報が残っていることが気になる人もいるはずだ。付属物ではないが、念のためにここでデジタルデータの消し方に触れておこう。きちんと消しておけば、安心してハードディスクやフロッピーディスクやMOを捨てられるはずだ。

考え方としては記憶媒体をフォーマットしなおせば、今まで入っていた情報はすべて消える。ウィンドウズ95／98ならば、「マイコンピュータ」のなかからフォーマットしたいドライブを選んで右クリックすれば、メニューが出てくる。パソコン本体を捨てるときに全部を消してしまいたいならば、購入時についてきたセットアップのためのフロッピーを起動して、すべてをフォーマットしなおす。ただし、すべてをフォーマットしなおすとOS（ウィンドウズ）も消えてしまうので、ほんとうに捨てるときだけにやる操作といえる。

◆電化製品の付属物の気持ちいい〝捨て方〟

どっさりついてくる電化製品の説明書類。けれどもなんだか重要そうだし、「とっておけ」と書いてあるし、捨てるには勇気がいるだろう。しかし、自分で使いつづけるぶんには必ずとっておかなければならないモノはごく一部だ。以下を参考に、適宜ふるいわけたい。

①保証書

松下電器産業によれば、万一なくしても販売店に問い合わせて販売時点が確認でき、保証期間内であれば、保証されていることはやってくれる。どこのメーカーや販売店にでも期待できるかどうかはわからないが、うっかり捨ててしまったときはこんな方法もあることは覚えておいてほしい。

また、保証期間が過ぎてから修理に出したい場合、保証書の有無にかかわらず有償でやってくれるし、機械そのものの問題なら場合によっては無償となるので、いずれにしてもいつまでも保証書をとっておく必要はないそうだ。修理に必要な品番、製造番号などの情報は製品本体に書いてあるので、保証書の内容を控えておく必要もない。

②取扱説明書・マニュアル類

捨てても支障はない。多くのメーカーがインターネットでホームページを開いているので、そこを見ると製品の扱い方、関連商品などの情報が豊富に載っている。現在流通している商品なら、探してみれば載っている確率は高い。

インターネットは苦手な人は、会社に問い合わせればていねいに対応してくれる。フリーダイヤルのサポートセンターを持っている会社も多いので、気軽に相談すればいいだろう。取扱説明書に載っていることでも、初歩的なことでも、訊けばきちんと答えてくれるし、説明書がないことを伝えればファクスしてくれることもある。

もう一度取扱説明書を手に入れたければ、有料で購入しなおすことができる。メーカーに在庫があれば買えるし、なければコピーして必要な部分を送ってくれる場合もある。

ただし、NECによれば、パソコンに関しては、基本操作のマニュアルは捨てない方がいいらしい。サポートセンターに問い合わせたとき、「説明書の○ページを開いてください」「説明書のどこの段階まではできますか」などと、説明書に沿って対応することが多いからだ。パソコンは操作の手順が複雑で、口頭だけでは説明しにくいからだという。しかし、もしうっかりマニュアルをなくして（捨てて）しまってもそれなりに対応してくれるし、有料で買うなりコピーを送ってもらうなりすることはできるので、安心してほしい。

③商品が入っていた箱

修理に出すとき、引っ越しをするとき、商品が入っていた箱に入れた方がいいのだろうか。精密機械であるパソコンはとくに気になるところだが、NECによると別に同じ箱に入れる必要はないそうだ。サイズ的にぴったりに作られているだけで、衝撃が少ないなどの特別な利点もないそうだ。引っ越し業者は箱はあった方がいい、と言うが、これは万一を考えてのことであり、サイズの合う段ボールがあれば充分ということらしい。

◆モノ全般の気持ちいい〝捨て方〟……ネットオークション

一般的にリサイクルしたいときは、自治体に問い合わせる、地域のフリーマーケットに出す、リサイクルショップで売る、自分でガレージセールを開く、などのやり方があることは周知だろう。フリーマーケットやリサイクルショップ情報は書店やインターネットでいくらでも探せるはずだ。専門の雑誌も多数出ている。利用のしかたもそれほど難しいものではない。

しかし、いま一番有効なのはインターネットなのである。検索エンジンを使って「フリーマーケット」「個人間売買」「オークション」「リサイクル」といったキーワードで検索すれば、さまざまなサイトが見つかる。個別に「本」「子供服」「ブランド品」「オモチャ」「車」「パソコン」などとキーワードを追加していけば、絞り込んで探していける。どんなモノでも見つけられるだろう。

この章の前半で詳しく解説した「本の捨て方」の「ネット古本屋に売る」「ネット古本屋を開設する」が、ほかのモノにもあてはまるので、同じように試してみてほしい（古着屋やアンティークショップを開設するには「古物商」の免許が必要。古書籍の場合と同じく警察署の防犯課で交付してもらう。「古物商」のなかには、古書籍、道具類、貴金属など扱う品目が明示されているから、扱いたいものを申請時に選べばいい）。

ここでは、一般にはまだあまり知られていないが、最近注目を浴びはじめ、やっている人のあいだではどんどん充実している「ネットオークション」を紹介しておこう。

ネットオークションで有名なのは、「Ｙａｈｏｏ！オークション」「楽天スーパーオークション」「ｅＢａｙ Ｊａｐａｎ（イーベイ・ジャパン）」「ＩＳＩＺＥじゃマール」あたりだ。この名前を入力して検索すればすぐ見つかる。サイトにアクセスできれば、サービスの概要や利用のしかたなどは詳しく説明してある。

一例として「楽天スーパーオークション」の様子を見てみよう。他のサイトもほぼこのような雰囲気だと思っていただければいい。

◆売れるモノ・買えるモノ

オークションとは名づけてあるが、感覚的にはフリーマーケットのような感じ。売りたい人、買いたい人どちらも会員になる必要があるが、オンラインで簡単に登録できる。

出品できるものは、ほぼなんでも。ジャンルに従って参加するようになっており、「フラワー・ガーデン」「フード」「ファッション」「美容・健康・福祉」「ホビー・カルチャー」「トラベル・チケット」「パソコン・モバイル・家電」「ドリンク・アルコール類」「生活・インテリア」「車・スポーツ・アウトドア」「本・音楽・映像」の十一の大分類に分けられている。その大分類がさらに細かく分けられていて、自分の売りたいモノ、買いたいモノに簡単にたどりつける。

《参加のしかた》出品したい人は、まず「楽天市場」に「出店」を申請する。出品したいものは、案内にしたがって入力していくだけで登録できる。出品したものに買い手がつけば「落札」されて、楽天経由で売買が行われる。

オークションはリアルタイムで進むわけではなく、買いたい人はアクセスしたときに買ってもいい値段を入力しておく。別の人は自分がアクセスしたときに、さらに高い値段を入れる。そして入札期限がきたときに、一番高い値段を入力していた人が落札するしくみだ。ふつうのオークションのような目利きである必要もないし、一円からはじまるモノもある。気軽に出品、入札できるところが、なによりも使いやすい点だ。

《フリーマーケット》「楽天」には、スーパーオークションのコーナーとフリーマーケットのコーナーがある。スーパーオークションは「楽天市場」に出店した人のみが出品できるが、フリーマーケットは個人がオークションを開催して出品や入札ができる。サイトによってはこういう区別をつけていないものもあるので、それぞれの仕組みにしたがって、使いやすい場を選ぼう。

ネットオークションは、このように、あなたの不要なモノはどんなモノでも誰か必要な人がいればその人の手に届く方法なのである。〝もったいない〟から捨てられない人のためにあるようなものではないか。

しかも、社会のシステムとしてこのようなスタイルのリサイクルが進めば、社会全体としてモノを循環させ、総量を減らしていくことができる。個人では、ほんとうに必要なモノ、どうしても使いたいモノ、好きだからおいておきたいモノだけを身のまわりに置いておけばいい。

現在はオークション会社としても社会の仕組みとしても試運転段階だろうが、時間とともに参加する人、参加する仕組み、モノの循環の仕組みがうまく調整されていき、次第に定着していくのではないだろうか。

◆ゴミの気持ちいい〝捨て方〟

いざゴミに出す、と決めても、現在では何種類もに分別して出すのが当たり前。一覧表は自治体から配られているが、あらゆる日用品が載っているわけではないし、いちいち問い合わせるのもめんどうだ。

資源ゴミとして明確に区別されているペットボトル、ビン・缶、新聞紙などならわかりやすいが、可燃ゴミ、不燃ゴミの区別はよくわからない。自治体によっても回収品目が違うので、ますます混乱する。しかも、裏は紙で表がビニールの袋や、ボタンやファスナーがついている洋服は、どう判断すればいいのか。誰でも多少は悶々としながら、まあ、こっちかな、と思って捨てているのではないだろうか。

このへんの悩みがなければ、もう少し気持ちよくゴミが出せるはず。ゴミ問題で頭を悩ませている東京都ならば、なにかいい判断基準を示してもらえるのではと問い合わせてみた。

可燃ゴミ、不燃ゴミに関しては、一覧表に載っているものを参考にして、「だいたい類推すれば」それでいい、とのこと。家庭から少量出るくらいのゴミであれば焼却施設で対応できるし、施設自体も最新の燃焼管理システムを導入しているのでダイオキシンが発生するような低温で焼却が進むこともないという。

「だいたい類推」では少々わかりにくいので、もう少し具体的に聞くと、モノ全体を見て主体となっている部分に注目する。有害物質が出る可能性があるのは石油製品だから、全体が「なんとなくプラスチックっぽいな」「ビニールっぽいな」と思ったり、「ゴムが多いな」「ガラスが多いな」と思えば、不燃ゴミにする。逆に、いろいろな素材が混じっているものでも、裏がコーティングされたお菓子の袋、洋服、紙オムツなど「なんとなく紙っぽいもの」「なんとなく燃やしても大丈夫そうなもの」は可燃ゴミでいい。

家庭から出る洋服は「可燃」になっているが、大きい工場から出る洋服は石油製品が大量に混入することになるので別途処分する、紙オムツは今では合成樹脂製の部分が多いが社会通念として「紙」だと思われているので可燃ゴミの品目にしている、など、都の基準自体が柔軟なのである。

もちろん、自治体によってさまざまな対応のしかたがあるし、住んでいる地域の管理のしかたもさまざまだろう。個々人ができることとして、地域のルールを守ることは大切だ。資源ゴミをきちんと回収することで、地域のゴミの量を少しでも減らすことは急務でもある。しかし、ゴミの分別に関してはゴミ処理場の能力や回収システムの問題の方が大きいようだ。

誤解を恐れずに言えば、ゴミ問題の本質にはあまり関わらない細かい分別のしかたにはあまりとらわれず、東京都が示したような柔軟な捨て方をすればいいのではないか。

◆リサイクルの罠

最後に、少しだけ〃リサイクルしたい〃と思う心理の危うさについて考えておきたい。

リサイクルしたいと願う心理は、下手すると〃どうせリサイクルするんだから〃と思う安易さにつながる。誰かがリサイクルしてくれるなら、うっかり無駄なものを買っても安心、まだ使えるものがいらなくなってももったいなくない、と最初から安心してしまうことになりかねない。そして安易にモノを増やし、安易にモノをリサイクルに回し、またモノを増やす、という悪循環の恐れもある。

その結果、自分は〝リサイクル〟というもったいなくない〝捨て方〟をしたつもりでも、誰かがあなたの代わりにゴミにしてくれるだけになることがままあるのである。

文中で紹介した〝気持ちいい捨て方〟のなかでも、汚い本・価値のない本は業者が処分する、使えない服は廃棄する、といった事実を紹介しておいた。ペットボトルやビン・缶の資源ゴミ回収の破綻状況は、報道で目にする機会も多いだろう。〝寄贈〟という名目で、着るに着れない服、ふとんの中綿などどうしようもないモノ、使い古した毛布などを関係団体に送り付けてくる人も、以前よりは減っているがいまだにいるらしい。

個々人ができるモノのリサイクルと、社会のシステムづくりを同じ視点で捉えるのは無理なのではないだろうか。最近出版された『環境にやさしい生活をするために「リサイクルしてはいけない」』(武田邦彦)という本では、ペットボトル、紙をはじめ現在行われているリサイクルの多くがかえって環境に負荷をかけていることを検証している。筆者はこの著者に全面的に同意するわけではないが、「環境というのは『一人』ではできない」「効率の悪いリサイクルはなくす」「リサイクルはやめて廃棄物は全量焼却する」といった考え方には賛同する。

リサイクル社会の是非、その実現の方法については専門家に委ねるとして、筆者はやはり〝捨てることからはじまる〟ことを強調したい。すでに述べたように、個人においては〝リサイクルという方法で捨てる〟と〝ゴミとして捨てる〟のあいだには、心情的なもの以外にはあまり差がないのが現状だからである。

個々人は、身のまわりにあるモノの山を〝捨てる〟ことから始めて、暮らし方を作り直すことが先決だ。もしかしたら企業や国のありかたを、そこから変えることができるのではないだろうか。

あとがき

筆者はマーケティングの仕事を一九八〇年代の終わりから現在までつづけている。マーケティングとは、消費者の心理や行動を探り、企業の商品開発や広告活動に役立てるための仕事だ。つまり、モノを買わせるための技術に携わってきたのである。

八〇年代の終わりはバブル最盛期。流通業界は急成長し、メーカーも新しいモノづくりに励んでいた。不況の九〇年代に入って、なんとか隠れたニーズを探ろうとするメーカー、環境ビジネスにビジネスチャンスを見出そうとする企業の本音も聞いてきた。

企業がモノを買わせようと必死な時期に、では私たちはモノを買わなくなっていたのだろうか。モノを買いたいという意欲には変わりはないように思う。ただ、みんなが欲しいモノはたしかに少なくなった。そんなものは誰でもすでに持っている。そうではない、なにかはわからないが自分にとって必要なモノは誰でも欲しいと思いつづけているらしい。筆者は、そこにモノと自己との関わり方の変化を感じる。

暮らしのあり方についても、現在は転換期だ。家そのものをはじめ暮らしに関わる商品は快適さを実現してきた。けれども、のんびり自分らしくくつろげる家に暮らしている人はどのくらいいるのか。モノだらけで狭くなった家、自分の居場所が見つからない家が現状だが、インテリアへの関心、ＬＤＫタイプへの疑問など、新しい暮らしやすさへの関心が育ってきているのを感じる。

明確なすじみちがあったわけではないが、このようにモノとの付き合い方を真剣に考えてきた結果が、本書につながったように思う。本書ではあえて具体的な社会事象や統計資料をとりあげなかったが、筆者なりの裏づけがあって〝捨てるための技術〟を提案したつもりだ。

本書の編集を担当していただいた根村かやのさんとは、長い間さまざまな仕事の企画をいっしょに考えてきた。筆者の思いつきを根村さんに話したことから話は急速に実現していった。打てば響くような共同企画者がいるとものごとは驚くほどうまく進む。今回の企画は、そういうしあわせな経過をたどって出版にいたった。その意味でも、宝島社には、やはりすばやく判断して出版していただいたことを、心から感謝している。

二〇〇〇年三月二日

辰巳　渚

「捨てる！」技術

辰巳　渚

宝島社新書